CB074003

ver!ssimo

Comédias para Ler na Escola

LUIS FERNANDO
ver!ssimo

Mais
Comédias para Ler na Escola

OBJETIVA

Copyright © 2008 by Luis Fernando Verissimo

Grafia atualizada segundo o Acordo Ortográfico da Língua Portuguesa de 1990, que entrou em vigor no Brasil em 2009.

Capa e projeto gráfico
Crama Design Estratégico

Escultura e ilustração
Ricardo Leite

Tratamento digital da escultura
Eduardo Rocha

Coordenação editorial
Isa Pessôa

Revisão
**Rita Godoy
Diogo Henriques
Sônia Peçanha**

CIP-BRASIL. CATALOGAÇÃO NA FONTE
SINDICATO NACIONAL DOS EDITORES DE LIVROS, RJ

V619m
    Verissimo, Luis Fernando
        Mais comédias para ler na escola / Luis Fernando Verissimo; apresentação e seleção de Marisa Lajolo – 1ª ed. – Rio de Janeiro: Objetiva, 2010.

    ISBN 978-85-7302-895-9

    1. Crônica brasileira. I. Lajolo, Marisa. II. Título.

08-1062

CDD: 869.98
CDU: 821.134.3(81)-8

16ª reimpressão

Todos os direitos desta edição reservados à
EDITORA SCHWARCZ S.A.
Praça Floriano, 19, sala 3001 — Cinelândia
20031-050 — Rio de Janeiro — RJ
Telefone: (21) 3993-7510
www.companhiadasletras.com.br
www.blogdacompanhia.com.br
facebook.com/editoraobjetiva
instagram.com/editora_objetiva
twitter.com/edobjetiva

LUIS FERNANDO ver!ssimo
Mais Comédias para Ler na Escola

Apresentação e seleção de **Marisa Lajolo**

OBJETIVA

Sumário

Um cronista no coração das coisas, por Marisa Lajolo, 13

O planeta em liquidação
Recriação, 21
Aviso importante, 25
Invólucros, 27
O Otimista, 29

Passagens
O rico, o pobre e a galinha, 35
Feliz Natal, 37
Provocações, 41
A vida, 43
O Tinho, 45
O flagelo do vestibular, 47
Olímpicos, 51
Artes marciais, 55

Grande família
Uma mulher fantástica, 61
Acho que tou, 65
E o noivo estava de tênis, 67
Complô, 73
Emergência, 75
O líder natural, 79
Duas-peças, 83

Conversas difíceis
Gerações, 87
Os 64 caminhos, 91
Lerdeza, 95
Linguiças calabresas, 99
O deus Kramatsal, 103
Uma de cavalo, 107
A orelha, 109

Metamorfoses
Sexta-feira 13, 113
Na palma da sua mão, 115
O doze, 117
Eu vi o Halley em 2062, 121
A metamorfose, 123

Você deve conhecer outros exemplos
Bandidos, 129
A primeira cena, 131
Porta de banheiro, 135
Atitude suspeita, 137
Palavras, 141
O gigolô das palavras, 143
Clarice, 147

Um cronista no coração das coisas

por Marisa Lajolo

Já pensou, todo santo dia, sol ou chuva, julho ou dezembro, ter obrigação de escrever? Escrever mais ou menos duas páginas, que devem agradar leitores, leitores que você nem desconfia quem são, que se espalham pelo país todo, e a cujos olhos seu texto chega pelas páginas de um jornal?

Pois assim é a crônica: alguém tem de escrever uma todo dia, como faz Luis Fernando Verissimo, autor deste livro e um dos mais queridos escritores brasileiros contemporâneos.

A palavra *crônica* começa de forma parecida com outras palavras que também se iniciam com *cê*, *erre*, *ó* e *ene*: *cronologia* e *cronômetro*, por exemplo. Estas palavras compartilham com a palavra *crônica* a ideia de *tempo*. Se o cronômetro *mede* o tempo e a cronologia o *marca*, a crônica o *registra*: a crônica documenta sua época, o tempo contemporâneo de sua escrita e de sua leitura. Como as crônicas reunidas neste livro, que falam tanto de filosofia quanto de galinhas, de romances e de linguiças.

Machado de Assis, que também foi cronista, apresentava-se a seus leitores da seguinte maneira: *(...) cá virei, uma vez por semana, com o meu chapéu na mão, e os "bons-dias" na boca. Se lhes disser já que não tenho papas na língua, não me tomem por homem despachado, que vem dizer coisas amargas aos outros. Não senhor; não tenho papas na língua, e é para vir a tê-las que escrevo. Se as tivesse, engolia-as e estava acabado.*

Não é nada fácil... Haja trabalho e haja talento, não é mesmo?

Talento é o que não falta ao autor das crônicas deste livro. E trabalho... ah, deixa pra lá! É o próprio Luis Fernando Verissimo quem informa como trabalha duro: *eu ganho a vida escrevendo. Sou um gigolô das palavras.*

Geralmente ocupando página e lugar fixos — por exemplo, sempre no rodapé, ou sempre na parte superior da página —, a crônica divide seu espaço com noticiários e com anúncios na humildade de um jornal, que se compra pela manhã para jogar fora de noite. É ao compasso da leitura rápida e superficial que geralmente dedicamos ao jornal que a crônica precisa nos seduzir. Funciona como uma espécie de *prêmio* do leitor do jornal, espaço de beleza e de alegria, respiro de ficção ou de poesia, intervalo de humor e inventividade. A crônica cintila em meio a classificados, manchetes, reportagens e editoriais.

E como se faz a crônica? Faz-se crônica como se faz poesia: seguindo a receita de Olavo Bilac (que, aliás, também foi cronista), que dizia que o poeta *trabalha e teima e lima e sofre e sua.* Também o cronista sua, sofre, lima, teima... ou seja, trabalha!

Muito trabalho, não é mesmo?

Muuuuuito!!

E quando se lê uma boa crônica — como as reunidas neste livro —, nem parece que o escritor teve essa trabalheira toda. Este *apagamento* do trabalho é, aliás, uma das marcas de textos como crônicas, que se leem sem se sentir, parecendo que em vez do livro é o autor quem está ali do lado, conversando com o leitor.

É ao dia a dia, que compartilha com seus leitores, que o cronista recorre para preencher as dezenas de linhas da crônica que algumas vezes por semana ele envia ao jornal ou revista para os quais trabalha. Migram, assim, para a crônica acontecimentos que, de uma ou de outra forma, estão na agenda de quase todo mundo: Natal, vestibular, campeonato de futebol, namoro...

Do celofane que envolve o CD ao medo da morte, do tênis inadequado para uma cerimônia formal aos grandes e pequenos absurdos da vida humana, a crônica abre espaço para todo tipo de assunto e acolhe qualquer espécie de leitor. O cotidiano que a inspira é composto de fatos que podem acontecer (e estão acontecendo) a toda hora, com todo mundo: uma conversa ao telefone, um pensamento fugidio sobre um bicho, uma ida ao supermercado, um pedaço de conversa ouvido na condução, a imagem de alguém com quem se cruzou na rua.

Estes fatos — como todo fato, aliás — não têm importância em si mesmos. Ganham importância na crônica. Quem lhes dá importância são os olhos que os veem, a mão que os escreve e os outros olhos (os meus e os seus, por exemplo) que se dão conta: *é assim mesmo, caramba! Comigo também, eu outro dia...* E o leitor, fisgado, vai acompanhando as histórias, virando página atrás de página, contente de não ter de esperar o dia seguinte ou — ainda pior — a próxima semana para ler outra crônica.

Muitas vezes, em busca de assunto, o escritor revira suas lembranças e lá encontra o tema que procurava: *Epa! Isso dá crônica!* É como nasce, talvez, a crônica que encerra este livro, na qual Verissimo narra que foi vizinho da escritora Clarice Lispector, privilégio que com certeza nem eu nem o prezado leitor tivemos. Mas Luis Fernando teve e, para alegria de todos (e uma ponta de inveja de alguns...), conta a história da qual também participam seus pais — Mafalda e Erico —, sendo este, aliás, o primeiro Verissimo a viver de palavras.

A experiência de vida do autor a que ele recorre em busca de temas e situações também inclui, claro, o que ele lê nos jornais, seus livros e autores preferidos, seu espaço no planeta Terra. Nosso autor, leitor de Kafka, compartilha conosco suas fantasias sobre o bichinho que protagoniza a mais famosa obra desse escritor tcheco — aquele inseto que virou bípede ou vice-versa. Também seu estado natal — o Rio Grande do Sul, tchê! — o inspira quando tematiza implacavelmente certos estereótipos gaúchos. De forma muito divertida, o cronista leva *gauchice* e *gauchadas* para o céu de São Pedro (aliás, padroeiro do Rio Grande do Sul), palco da crônica "Pouco".

Este sedutor jogo de aproximação e distanciamento — de experiências individuais para um cotidiano coletivo — ainda se impõe quando prestamos atenção às personagens da crônica de Luis Fernando Verissimo. Cruzam suas histórias tanto personagens que *são* verdadeiras, como o Luft de "A primeira cena" (lá promovido a inspetor, e na vida real o saudoso professor Celso Luft) ou o Kafka (Franz Kafka, autor do livro *A Metamorfose*), quanto personagens que apenas *parecem* verdadeiras, como talvez o Cidão ou a Vanessa. No conjunto dos tipos que desfilam nestas crônicas, os mais divertidos são aqueles que — bastante inverossímeis — o cronista faz carregarem o destino no próprio nome, como a tia Amanda-Amosa, ou o Tetsuo Tofora.

Esperto o cronista.

Ele sabe das coisas.

Sabe do pacto silencioso que faz com seus leitores e que está sempre renovando, dizendo nas entrelinhas: *veja lá, senhor leitor, como este mundinho que compartilhamos é interessante e cheio de surpresas. Não nos conhecemos, mas bem que podemos nos encontrar nesta efêmera folha de papel pela qual eu te espio e tu me espias enquanto espiamos ambos o mundo.*

Não é mesmo?

O sucesso da crônica como espaço de encontro entre o anonimato dos leitores e a individualidade do cronista está consagrado pela passagem da crônica das páginas do jornal para as do livro. O livro é menos efêmero do que publicações periódicas e, em nossa cultura, ainda é símbolo maior de sabedoria e veículo de literatura. Assim, ao acolher a crônica, o livro confere a ela o mesmo status literário do romance e do conto, gêneros maiores da prosa de ficção. Foi assim, na carona do livro, que a crônica chegou à escola, onde renovou estudos de língua e de literatura, abrindo espaço para leituras prazerosas e atividades inventivas, como as que este livro pode inspirar.

Se livro fosse remédio — que tem bula e rótulo —, aqui se leria que estas *Mais Comédias para Ler na Escola* não têm contraindicação. Na escola ou em casa, lendo por iniciativa própria ou porque a escola o adotou, este livro só tem indicações a favor. Todo mundo sai ganhando: lendo *porque-o-professor-mandou-e-vai-cair-na-prova* ou porque se sabe que ler qualquer livro de Luis Fernando Verissimo é uma grande experiência de leitura, estas *Mais Comédias para Ler na Escola* são garantia de boas risadas e de boa leitura. Que não fica menos divertida ao se acompanhar de alguma reflexão, como a que aqui também se inspira.

O que não é pouco, não é mesmo?

O planeta em liquidação

!

Recriação

Deus suspirou. Estava cansado. Há bilhões de anos, quando era mais jovem e ambicioso, a ideia de criar um Universo não lhe parecera absurda. Agora se arrependia. O empreendimento fugira ao seu controle. Não conseguia se lembrar nem de quantas luas tinha Saturno. Estava definitivamente ficando velho.

Olhou em volta da mesa de reuniões. Sua presença naquela Comissão de Recriação era dispensável. Como diretor-presidente, tinha a última palavra, mas as decisões eram tomadas pela Sua assessoria. Aqueles jovens tecnocratas pensavam que tinham a resposta para tudo. Queriam tornar o Seu projeto mais moderno e dinâmico. Trabalho mesmo fora o d'Ele. Criara tudo literalmente do Nada. Eles nem eram nascidos. Mas paciência. Precisava acompanhar os tempos. Vetou a proposta do assessor de RP, para que todos se unissem numa oração, e mandou começarem os trabalhos. Odiava o puxa-saquismo.

— Quanto tempo levará a Recriação? — perguntou.

— Bem...

O coordenador hesitou. O Velho, como sempre, queria respostas simples e diretas. Com Ele era tudo luz, luz, trevas, trevas. Mas as coisas não eram mais tão simples. O diretor da Divisão de Obras interveio:

— Precisamos fazer uma análise de custos. Depois, um organograma. Um fluxograma. Um...

— Eu fiz tudo em seis dias — interrompeu o diretor presidente. — E sozinho. Só descansei no domingo. No meu tempo não existia semana inglesa.

Lá vinha o Velho outra vez com suas reminiscências. Está bem, ninguém negava o Seu valor. Mas o tempo dos pioneiros já passara. Agora era o tempo dos técnicos. Dos especialistas.

— Acho que devíamos começar fechando a Terra — disse o diretor financeiro.

Aquele era um assunto delicado. O Velho tinha uma predileção especial pela Terra. Inclusive por questões familiares. Mas Ele ficou em silêncio. O diretor financeiro continuou:

— Acho que a Terra já deu o que tinha que dar. Seus recursos estão esgotados. Não é mais rentável. Não há como recuperá-la. Devemos fechá-la antes que comprometa todo o grupo.

— Você quer dizer simplesmente liquidá-la?

— Isso. Nosso representante lá, o papa, receberia uma indenização. Mas não vejo problemas maiores. E teríamos o que descontar do Imposto de Renda.

O assessor de RP mostrou alguma preocupação.

— Em termos de imagem, pegaria mal.

— Por quê? — perguntou o diretor de pesquisa. — Já eliminamos milhões de outros planetas, alguns bem maiores do que a Terra. Não passa um dia em que não explodimos uma estrela.

— Sei não, sei não...

— Administrar um Universo é um processo aético, meu caro. Temos um projeto a cumprir, metas a serem alcançadas. Não podemos ficar nos preocupando com cada planetinha...

— O problema foi o tipo de colonização escolhido para a Terra... — arriscou o diretor financeiro, olhando com o rabo dos olhos para o Velho. — Desde o começo, com aquele casal, já dava para ver que não daria certo...

— Quem sabe — sugeriu o assessor de RP — se refaz a Terra em outros moldes, mais empresariais? Dias mais longos, para aumentar a produtividade. Uma nova injeção de petróleo, para melhorar sua vida útil.

— Esqueça — disse o diretor financeiro. — A Terra não tem mais volta. Foi muito mal-administrada. Está falida. Só estaríamos prolongando a sua agonia, com subsídios. Proponho o fechamento.

A proposta foi aprovada por maioria. Passaram a discutir o formato que teria o novo Universo. A ideia era aumentar a centralização, acabar com a expansão constante para facilitar a administração e cortar os custos de manutenção...

Na cabeceira da mesa, o Velho parecia dormir.

Aviso importante

O uso excessivo do telefone celular
frita o seu cérebro como uma fornalha.
Não é verdade mas espalha, espalha.

(Da série "Poesia numa Hora Dessas?!")

Invólucros

Telefones celulares, agendas eletrônicas e computadores portáteis cada vez mais compactos, e portanto com teclas cada vez menores, pressupõem usuários com dedos finos. Se vale a teoria da seleção natural de Darwin, as pessoas com dedos grossos se tornarão obsoletas, não se adaptarão ao mundo da microtecnologia e logo desaparecerão. E os dedos finos dominarão a Terra. Há quem diga que, como os miniteclados impossibilitam a datilografia tradicional e, com o advento das calculadoras, os cinco dedos em cada mão perderam a sua outra utilidade prática, que era ajudar a contar até dez, os humanos do futuro nascerão só com três dedos em cada mão: o indicador para digitar (e para indicar, claro), o dedão opositor para poder segurar as coisas e o mindinho para limpar o ouvido.

Outra inevitável evolução humana será a pessoa já nascer com um dispositivo — talvez um dente adicional, cuneiforme, na frente — para desembrulhar CDs e outras coisas envoltas em celofane, como quase tudo hoje em dia. E fiquei pensando no enorme aperfeiçoamento que seria se as próprias pessoas viessem envoltas numa espécie de celofane em vez de pele. Imagine as vantagens que isto traria. No lugar de derme e epiderme, uma pele transparente que permitisse enxergar todos os nossos órgãos internos, tornando dispensáveis os raios X e outras formas de nos ver por dentro. Bastaria o paciente tirar a roupa para o médico olhar através da sua pele e dar o diagnóstico, sem precisar apalpar ou pedir exames.

Está certo, seríamos horrorosos. Em compensação, a pele transparente seria um grande equalizador social. "Beleza interior" adquiriria um novo sentido e ninguém seria muito mais bonito que ninguém, embora alguns pudessem ostentar um baço mais bem-acabado ou um intestino delgado mais estético, e o corpo de mulheres com pouca roupa ainda continuasse a receber elogios ("Que vesícula!"). Acabaria a inveja que as mulheres têm, uma da pele das outras, e a consequente necessidade de peelings, liftings, botox etc. E como todas as peles teriam a mesma cor — cor nenhuma —, estaria provado que somos todos iguais sob os nossos invólucros, e não existiria racismo.

Fica a sugestão, para quando nos redesenharem.

O Otimista

O Pessimista não conseguia fazer o Otimista se desesperar. Uma vez tinham tido uma conversa seríssima sobre a condição humana, com o Pessimista tentando convencer o Otimista de que a existência era uma coisa absurda.

— Nós não somos nada. Somos seres insignificantes, num planeta sem importância, num Universo sem sentido!

— Certo — concordara o Otimista. — Mas fora isso...

Outra vez o Pessimista declarara que nada valia a pena porque em alguns bilhões de anos o Sol se expandiria e todo o sistema solar, inclusive a Terra, seria pulverizado. Ao que o Otimista retrucara:

— Você, então, não recomenda investir em imóveis?

Nem a situação do Brasil preocupava muito o Otimista.

— Sabe como é que nós vamos acabar? — disse, uma vez, o Pessimista. — Comendo rato. Caçando rato pra botar na mesa.

— Como? — perguntou o Otimista, interessado.

— Assado!

O Otimista ponderou esta informação. Depois quis saber:
— Com quê?
Não é que fosse um simples. É que sempre via o outro lado da questão. Gostava de dizer coisas como "tudo se arranjará" e "quando é noite aqui, é porque é dia em outro lugar". Era a sua maneira de ser prático e manter a boa disposição. Usava muito frases que começavam com "Por outro lado...".
— Nós não vamos desta para melhor — lamentava-se o Pessimista. — Não existe outra vida depois desta. É terrível.
— Por outro lado... — observava o Otimista — nós não precisamos nos preocupar com a transferência do domicílio eleitoral...
Certa vez, no bar onde se encontravam para o chope diário, o Pessimista começou a falar na possibilidade de uma guerra nuclear.
— Você aí, com essa cara alegre, e nós podemos muito bem estar a poucos minutos de uma guerra atômica.
— Será?
— Sabe quanto tempo levaria para o mundo inteiro ser destruído numa guerra nuclear? Meia hora.
O Otimista chamou o garçom e pediu:
— Outro chope.
— Meia hora, nada. Quinze minutos! — corrigiu-se o Pessimista.
O Otimista chamou o garçom de volta.
— Traz logo dois. E bota na conta.
Um dia o Pessimista entrou no bar agitadíssimo, entre apavorado e eufórico. Suas piores previsões tinham se confirmado.
— É ele!
— O quê?
— O Apocalipse!
— Você está brincando.

— Venham ver. A terra está se abrindo em fendas. Chove enxofre. É o fim dos tempos!

— Por outro lado... — começou o Otimista.

— Desta vez não tem outro lado! — berrou o Pessimista. — É o fim mesmo.

Saíram à rua e, de fato, era o fim. Tudo ruía. Labaredas subiam de rachaduras no chão. As pessoas corriam sem rumo, em pânico, ou então se ajoelhavam e pediam clemência a Deus. E no céu, por entre nuvens grossas e negras, surgiram os quatro cavaleiros do Apocalipse montando seus terríveis animais.

— Está vendo? — gritou o Pessimista para o Otimista, triunfante. — São os quatro cavaleiros do Apocalipse. O que é que você me diz agora?

O Otimista estava estudando atentamente os quatro cavalos que galopavam nas nuvens em direção à Terra conflagrada. Finalmente, tomou a decisão:

— Aposto na Peste e dou a tropa!

Passagens

!

O rico, o pobre e a galinha

Um rico passa pela entrada de um labirinto e não resiste. Entra. Quer saber o que se esconde no centro do labirinto.

Talvez seja um tesouro, ou no mínimo uma oportunidade de negócios. É da natureza humana querer explorar o desconhecido e é da natureza dos ricos querer ficar mais ricos. Como, além de um aventureiro e um empreendedor, o rico é um ser racional, vai deixando moedas no caminho, para depois voltar pelo mesmo caminho e encontrar a saída do labirinto. No centro do labirinto não há nada, só o centro de um labirinto, e quando se vira para começar o caminho de volta, o rico dá com o pobre, que chega colocando a última moeda do chão na sua sacola.

— Minhas moedas! — diz o rico.

— Suas? Estavam no chão. Vim catando-as pelo caminho. Agora são minhas. Tenho direito a um pouco da riqueza do mundo.

— Imbecil! Eu as deixei pelo chão para encontrar o caminho de volta, já que sou um ser racional. Agora eu não encontrarei a saída. Agora eu vou ficar neste labirinto pelo resto da vida.

— "Eu, eu, eu." Você só pensa em você, como todos os ricos. E eu?

— Você também está condenado a ficar neste labirinto pelo resto da vida. Culpa da sua ganância e da sua burrice.

— Outra mania de rico, achar que quem é pobre é burro. Mas eu também sou um ser racional, meu caro. Em lugar das moedas, deixei grãos de milho pelo chão, para me guiar de volta à saída do labirinto.

Os dois preparam-se para sair do centro do labirinto quando dão com uma galinha que chega bicando o último grão de milho. A galinha passou pela entrada do labirinto, viu os grãos enfileirados no chão e também não resistiu. Foi comendo o milho de grão em grão sem deixar nada em seu lugar para mostrar o caminho de volta.

O rico e o pobre xingam a galinha juntos. Chamam a galinha de irresponsável. De inconsequente.

O rico diz que entrou no labirinto porque é um aventureiro e um empreendedor, e porque é da sua natureza explorar o desconhecido e as oportunidades de enriquecer mais. O pobre diz que entrou no labirinto atrás de moedas, mesmo as moedas sendo de outro, porque tem direito a um pouco da riqueza do mundo. E a galinha, que só foi atrás da sua fome?

E o rico e o pobre passam o resto de suas vidas correndo pelo labirinto atrás da galinha, que, como não é um ser racional, nem sabe o que está fazendo ali.

O que deve significar alguma coisa.

Feliz Natal

Em certas sociedades primitivas a mulher é a caçadora, e cabe a ela prover a alimentação da unidade familiar. Reunidas em bandos ou individualmente, elas saem todos os dias para a caça e nunca voltam sem algum tipo de alimento para o companheiro e as crias. Orientam-se pelo instinto e pelo faro e por um rudimentar método de troca de informações que possibilita a todas convergir ao mesmo tempo num lugar onde suspeitam que haja carne fresca e cercar a presa, em formações simples de ataque chamadas "filas". Suas armas, além de grandes sacolas, são a determinação e a paciência e, quando esta falha, os cotovelos e os pés. Quando se aproximam da presa, emitem gritos de guerra como: "Esse pedaço é meu!", "Eu vi primeiro!" ou "Larga!". Não é incomum usarem os dentes para garantir o seu pedaço. É claro que as mais fortes e decididas levam vantagem em tais ocasiões e são melhores provedoras. Em sociedades assim a envergadura e a habilidade predatória da mulher são cada vez mais valorizadas em detrimento de atributos "femininos" valorizados em outro estágio de civilização.

— Essa sua mulher, hein?
— Que que tem?
— Parece um tanque.
— É. Mas vai tirando o olho grande que ela é minha.

Como seria a vida cotidiana numa sociedade assim? Vamos seguir uma dessas caçadoras na sua rotina diária. Ela sai da toca e encontra a sua vizinha e melhor amiga, que também está saindo para buscar alimento.

— Quem diria, Natal de novo...
— Coisa, né? Parece que foi ontem que terminamos de pagar as prestações do último Natal.

Pausa.

— Pensando bem, *foi* ontem.

As duas riem. Guiadas pelo faro, dirigem-se para um supermercado onde tem peru. Entram na fila. Quando chega a vez delas, só tem um peru.

— Olha! Só sobrou o meu.

As duas riem.

— O seu não, o meu.
— Nós sempre fazemos peru no Natal. Esse é meu.
— *Nós* sempre fazemos peru no Natal. Compre outra coisa.
— Quero peru. Mesmo porque não tem outra coisa.

A mulher atrás delas, na fila, resolve dar uma solução prática para o impasse. Diz que o peru é dela e avança em sua direção. Nossa caçadora interrompe o seu avanço com um tranco de quadril que a vizinha completa atirando a intrusa contra uma prateleira do supermercado que, como está vazia, cai. As duas amigas apertam-se as mãos, triunfantes, mas a vizinha aproveita para puxar a outra violentamente na sua direção e grunhir na sua cara:

— O peru é meu.

As duas atracam-se. Enquanto isso, outras duas estão brigando pelo mesmo peru. O conflito generaliza-se. Um gerente do supermercado tenta intervir e é desmembrado. Gritos. Socos. Ruptura do tecido social. E, súbito, uma faca.

*

O pai corta, cerimoniosamente, o peru. Serve os filhos, um por um. O menor diz:

— Não quero.

— Como, não quer?

— Tenho horror de peru.

— Mas vai comer.

— Mas, papai...

— Você sabe que sua mãe morreu para nos dar esse peru! Come!

Todos comem em silêncio. Há um lugar vago na mesa. O lugar da caçadora. O pai pensa vagamente que precisa se casar de novo. Com uma leoa, pensa. Com as coisas como estão, tem que ser uma leoa.

Provocações

A primeira provocação ele aguentou calado. Na verdade, gritou e esperneou. Mas todos os bebês fazem assim, mesmo os que nascem em maternidade, ajudados por especialistas. E não como ele, numa toca, aparado só pelo chão.

    A segunda provocação foi a alimentação que lhe deram, depois do leite da mãe. Uma porcaria. Não reclamou porque não era disso.

    Outra provocação foi perder a metade dos seus dez irmãos, por doença e falta de atendimento. Não gostou nada daquilo. Mas ficou firme.

    Era de boa paz.

    Foram provocando por toda a vida.

    Não pôde ir à escola porque tinha que ajudar na roça. Tudo bem, gostava da roça. Mas aí lhe tiraram a roça.

    Na cidade, para onde teve que ir com a família, era provocação de tudo que era lado. Resistiu a todas. Morar em barraco. Depois perder o barraco, que estava onde não podia estar. Ir para um barraco pior. Ficou firme, firme.

Queria um emprego, só conseguiu um subemprego. Queria casar, conseguiu uma submulher. Tiveram subfilhos. Subnutridos. Os que morriam eram substituídos. Para conseguir ajuda, só entrando em fila. E a ajuda não ajudava.

Estavam provocando.

Gostava da roça. O negócio dele era a roça. Queria voltar pra roça. Ouvira falar de uma tal reforma agrária. Não sabia bem o que era. Parece que a ideia era lhe dar uma terrinha. Se não era outra provocação, era uma boa. Terra era o que não faltava.

Passou anos ouvindo falar em reforma agrária. Em voltar à terra. Em ter a terra que nunca tivera. Amanhã. No próximo ano. No próximo governo. Concluiu que era provocação. Mais uma.

Finalmente ouviu dizer que desta vez a reforma agrária vinha mesmo. Pra valer. Garantida.

Se animou. Se mobilizou. Pegou a enxada e foi brigar pelo que pudesse conseguir. Estava disposto a aceitar qualquer coisa. Só não estava mais disposto a aceitar provocação.

Aí ouviu que a reforma agrária não era bem assim. Talvez amanhã. Talvez no próximo ano... Então protestou. Na décima milésima provocação, reagiu.

E ouviu, espantado, as pessoas dizerem, horrorizadas com ele:

— VIOLÊNCIA NÃO!

A vida

Depois de distribuir os presentes e se despedir, sob palmas, das crianças — "Comportem-se bem que no ano que vem eu volto!" —, o Papai Noel aceitou o convite para dar a volta na casa, entrar pelos fundos e tomar uma cervejinha na cozinha. Só que ninguém se lembrou do cachorro. Quando viu, o Papai Noel estava sendo perseguido por um cachorro enorme e sem qualquer sentimento cristão. Teve que pular a cerca para o quintal do vizinho. E não havia como sair do quintal do vizinho a não ser pulando de novo a cerca — e o cachorro permanecia, rosnando, em prontidão, do outro lado, para dissuadi-lo — ou passando por dentro da casa do vizinho. O Papai Noel bateu na porta da cozinha do vizinho. Quem abriu a porta foi uma criança. O rosto da criança se iluminou quando ela viu quem era. Papai Noel!

O Papai Noel não podia dizer: "Olha, estou só de passagem." Nem contar que estava ali fugindo de um cachorro. Tinha que pensar na imagem da classe. E, afinal, não era um desalmado. Disse: "Você pensou que eu não vinha, hein?"

A criança nem podia falar de tão encantada. Atrás dela apareceu uma mulher. A mãe. Que também se espantou. Primeiro riu. Depois fechou a cara. Afastou a criança da porta.

— Isso é coisa do Casemiro, é?

— Ahn... Não. Eu...

— Já vi que é. Pois diz praquele cafajeste que não adianta. A Lucimar ele não vê nunca mais.

Ela começou a fechar a porta, mas o Papai Noel resistiu. Improvisou:

— Ela... Ela não precisa saber que é coisa do cafajeste. Digo, do Casemiro. Eu não digo nada. Pra todos os efeitos, sou o Papai Noel mesmo.

— Essa não! Pra depois ele vir me cobrar? Dizer que foi bonzinho? Na hora de pagar o aparelho, nem sombra. Agora quer se engraçar? Aqui!

Ela bateu com a porta. O Papai Noel olhou em volta. Atrás e de um lado, muros inescaláveis. Do outro lado, o cachorro. Sentou no degrau da porta. Ouviu a porta se abrir. Pela fresta, a menina o olhava. Ele fez um gesto. Queria dizer que era a vida. De dentro da casa a mulher gritou "Lucimar!", e a menina fechou a porta, ligeiro.

O Tinho

Se chamava Fausto (ou Faustinho, ou Tinho), tinha 15 anos e queria ser craque de futebol. Jogava nos juvenis de um clube médio. Jogava bem, mas não o bastante para se destacar dos outros garotos com a mesma idade e o mesmo sonho. Não o bastante para ser notado. Até que um dia Tinho se atrasou trocando de roupa depois de um treino e quando viu estavam só ele e um homem estranho, de terno escuro, no vestiário. Um homem que ele nunca tinha visto ali antes e que lhe deu seu cartão. Um cartão todo preto com uma única palavra, em vermelho: "Diabo." O homem fez uma proposta: em troca da sua alma, Tinho poderia pedir o que quisesse. Chutar com as duas pernas? Cabecear com perfeição? Driblar com maestria? Passar com precisão? O que ele quisesse. Pelo contrato apresentado pelo Diabo, e que ele assinou com seu sangue na hora, Tinho só se comprometia a, no fim da sua vida — que seria de grande sucesso e incrível riqueza —, lhe entregar sua alma.

E já no seu primeiro jogo depois do pacto com o Diabo, Tinho assombrou. Fez cinco gols, dois com cada perna e o quinto com uma cabeceada perfeita.

Driblou com maestria e passou com precisão. Fenômeno, disseram todos. E naquele mesmo dia, depois do jogo, Tinho foi procurado por um empresário com sotaque castelhano que lhe propôs um contrato vitalício e um futuro fantástico. O empresário cuidaria da vida de Tinho por uma porcentagem. Em troca, faria de Tinho, em pouco tempo, o jogador mais famoso do mundo. O primeiro passo seria tirá-lo do Brasil e levá-lo para a Europa, onde estava o dinheiro. E Tinho assinou o contrato com o empresário na hora, raciocinando que o Diabo comprara a sua alma, não os seus direitos corporativos.

Mas o Diabo, como se sabe, é um ciumento. E protestou. Tinho devia sua nova notoriedade a ele, que assim como o transformara num craque poderia destransformá-lo. Tinho lhe pertencia, corpo e alma. E que mundo era aquele em que um pacto com o Diabo assinado com sangue não valia mais nada, ou valia tanto quanto um contrato assinado com um castelhano com uma Bic? Nada mais era sagrado? Para complicar as coisas, a direção do clube do Tinho fez uma proposta para o Tinho ficar, prometendo uma casa para a sua mãe, e movimentou seu departamento jurídico para anular as ações do Diabo e do empresário. E para complicar ainda mais as coisas um emissário de Deus, um anjo disfarçado de pipoqueiro, confidenciou ao Tinho que o Senhor se comprometia a mover céu e terra para ajudar sua carreira (inclusive pressionando algum grande clube da Espanha ou da Itália, onde Ele tem muita influência, para contratá-lo) se Tinho desfizesse seu contrato com o Diabo e Lhe prometesse sua alma. O próprio Tinho teve que contratar um advogado para assessorá-lo nas negociações.

Resultado: Tinho está treinando no Chelsea, onde ainda não realizou todo o seu potencial, porque o Diabo não se conforma em ter apenas 35%, já que Deus ficou com 35, o empresário com 30 e o clube com direito a uma participação em qualquer venda futura do jogador. Quanto à questão da alma do Tinho, ficou para mais tarde, quando, espera-se, já existirá uma norma da Fifa a respeito.

O flagelo do vestibular

Não tenho curso superior. O que eu sei foi a vida que me ensinou, e como eu não prestava muita atenção e faltava muito, aprendi pouco. Sei o essencial, que é amarrar os sapatos, algumas tabuadas e como distinguir um bom beaujolais pelo rótulo. E tenho um certo jeito — como comprova este exemplo — para usar frases entre travessões, o que me garante o sustento. No caso de alguma dúvida maior, recorro ao bom senso. Que sempre me responde da mesma maneira: "Olha na enciclopédia, pô!"

Este naco de autobiografia é apenas para dizer que nunca tive que passar pelo martírio de um vestibular. É uma experiência que jamais vou ter, como a dor do parto. Mas isto não impede que todos os anos, por esta época, eu sofra com o padecimento de amigos que se submetem à terrível prova, ou até de estranhos que vejo pelos jornais chegando um minuto atrasados, tendo insolações e tonturas, roendo metade do lápis durante o exame e no fim olhando para o infinito com aquele ar de sobrevivente da Marcha da Morte de Batan. Enfim, os flagelados do unificado. Só lhes posso oferecer a minha simpatia. Como ofereci a uma conhecida nossa que este ano esteve no inferno.

— Calma, calma. Você pode parar de roer as unhas. O pior já passou.

— Não consigo. Vou levar duas semanas para me acalmar.

— Bom, então roa as suas próprias unhas. Essas são as minhas...

— Ah, desculpe. Foi terrível. A incerteza, as noites sem sono. Eu estava de um jeito que calmante me excitava. E quando conseguia dormir, sonhava com múltiplas escolhas: a) fracasso, b) vexame, c) desilusão. E acordava gritando: Nenhuma destas! Nenhuma destas! Foi horrível.

— Só não compreendo por que você inventou de fazer vestibular a esta altura da vida...

— Mas quem é que fez vestibular? Foi meu filho! E o cretino está na praia enquanto eu fico aqui, à beira do colapso.

Mãe de vestibulando. Os casos mais dolorosos. O inconsciente do filho às vezes nem tá, diz pra coroa que cravou coluna do meio em tudo e está matematicamente garantido. E ela ali, desdobrando fila por fila o gabarito. Não haveria um jeito mais humano de fazer a seleção para as universidades? Por exemplo, largar todos os candidatos no ponto mais remoto da floresta amazônica e os que voltassem à civilização estariam automaticamente classificados? Afinal, o Brasil precisa de desbravadores. E as mães dos reprovados, quando indagadas sobre a sorte dos seus filhos, poderiam enxugar uma lágrima e dizer com altivez:

— Ele foi um dos que não voltaram...

Em vez de:

— É um burro!

Os candidatos a Engenharia no Rio de Janeiro poderiam ser postos a trabalhar no metrô dia e noite; quem pedisse água seria desclassificado. O Estado acabaria com poucos engenheiros novos — aliás, uma segurança para a população —, mas as obras do metrô progrediriam como nunca. Na direção errada, mas que diabo.

O certo é que do jeito que está não pode continuar. E ainda por cima, há os cursinhos pré-vestibulares. Em São Paulo os cursinhos estão usando helicópteros na guerra pela preferência dos vestibulandos que terão que repetir tudo no ano que vem. Daí para o napalm, o bombardeio estratégico, o desembarque anfíbio e, pior, uma visita do Kissinger para negociar a paz, é um pulo. Em São Paulo há cursinhos tão grandes que o professor, para se comunicar com as filas de trás, tem que usar o correio. Se todos os alunos de cursinhos no centro de São Paulo saíssem para a rua ao mesmo tempo, ia ter gente caindo no mar em Santos. O vestibular virou indústria. E os robôs que saem das usinas pré-vestibulares só têm dois movimentos: marcar cruzinha e rezar.

O filho da nossa nervosa amiga chegou em casa meio pessimista com uma das suas provas.

— Sei não. Acho que entrei pelo cano. O inglês não estava mole.

— Mas meu filho, hoje não era inglês! Era física e matemática!

— Oba! Então acho que fui bem.

Olímpicos

Havia, na turma do pôquer, um certo ressentimento com as Olimpíadas. O assunto nem teria surgido se marcas redondas deixadas pelos copos no pano verde não tivessem formado, por acaso, um desenho parecido com o do símbolo olímpico.

— Olimpíadas... — disse um.
— Hmrnf — comentou outro.
— Hein?
— Eu disse "hmrnf".
— Ah! Com esse charuto na boca não se entende nada do que você diz.
— Quer dar as cartas?
— Dou cartas.
— Três.
— Esse não tem nada. Você: quantas?

A fumaça dos charutos pairava sobre a mesa como uma maldição. Há quatro horas que os cinco aspiravam e expiravam o mesmo ar, que não melhorava nada com o uso prolongado.

— Olimpíadas... — tentou de novo o primeiro.

— Hmrnf — repetiu o segundo, com as cartas a poucos milímetros da ponta do charuto.

— Eu acho bonito — disse um terceiro.

Todos o olharam com um certo espanto.

— O quê?

— Sei lá. Aquela rapaziada saudável. O congraçamento entre as nações...

Murmúrios de desaprovação em volta da mesa. Pouco entusiasmo pela saúde. Menos ainda pelo congraçamento universal. Alguém tentou salvar alguma coisa:

— Da natação eu gosto...

— Só de olhar me dá angina — tossiu outro.

— Alguém pode me explicar o nado borboleta?

— É assim, ó. Só que dentro d'água.

— Eu sei como é, pô. Mas pra que serve?

— Como, pra que serve? Pra andar na água.

— Mas num naufrágio, por exemplo. Você vai sair nadando borboleta?

— Eu não vou sair de jeito nenhum. Vou afundar com a mesa de jogo, pra não me pegarem as fichas.

— Vamo jogá, vamo jogá!

— Esse tem trinca...

O jogo continua. Mas o assunto não morre.

— Devia ter pôquer nas Olimpíadas. Em vez de arco e flecha, devia ter pôquer.

— Não pode.

— Por quê?

— É jogo de azar.

— Se me perguntarem, eu confirmo tudo. Há quatro horas que não me vem um jogo. Bico.
— Eu vou. Duzentos.
— Eu pago. Já pensaram, a delegação de pôquer?
— Seus duzentos e mais duzentos.
— Eu ia desfilar de charuto e um copo na mão. Será que pegava mal? Estou fora.
— Quem é que disse que é jogo de azar? Requer destreza, resistência e caráter. Mau caráter, mas caráter. O objetivo do jogo é aterrorizar o inimigo. Teus quatrocentos e mais quatrocentos.
— Eu fujo.
— Uma seleção de pôquer... Alguns conceitos olímpicos teriam que ser revisados. Estou fora.
— "Mens sana in corpore assim, assim." Eu também.
— Pago teus quatrocentos!
— Enfim, um homem. Está aqui o meu jogo.
— Jogão. Leva.
— Falem mal da minha trinca agora.
— Trinca de noves levando tudo... Oh, jogo. Nenhum de nós chegaria à seleção de pôquer.
— Ainda bem. Só ter que participar daquela inauguração...
— Espera aí. Daquilo eu gosto.
— O quê?!
— Você não gosta nem de revoada de pombos?
Falou o que tinha tido azar a noite toda:
— Tenho horror a revoada de pombos.
Depois de alguma hesitação, os outros concordaram. Revoada de pombos também não dava para aguentar.
— Dá as cartas, dá as cartas.

Artes marciais

As artes marciais do Oriente — caratê, kung fu, et cetera — estão em grande evidência em toda parte, mas poucos conhecem o mais antigo sistema de defesa pessoal do mundo, o milenar borra-dô. Introduzido no Brasil há pouco, o borra-dô já tem uma academia montada em Porto Alegre, e foi lá que conversamos com seu diretor, o nipo-paulista Imajina — Antonino Imajina —, sobre o insólito método. Imajina começou com um breve relato histórico do borra-dô, que é a arte de evitar a briga. Seu inventor foi o monge budista Tetsuo Tofora, conhecido como O Pulha de Osaka, que viveu até os 180 anos e desenvolveu os principais golpes e preceitos desta mistura de religião, filosofia e instrução marcial.

— O borra-dô se divide em quatro fases, cada uma identificada com um animal — explicou-nos Imajina. — A primeira fase é a da Mulher (que O Pulha classificava, como animal, entre a lesma e o tubarão) e consiste em falar sem parar diante do adversário que nos ataca.

— O que deve ser dito?

— O Pulha, nos seus Ensinamentos, nos dá alguns exemplos. "Minha mulher está grávida, minha casa queimou, eu sustento 17 tios e o médico recomendou que não era para eu apanhar antes de se passarem dez dias da operação no crânio!" Ou então: "E se a gente se sentasse em algum lugar para discutir isto civilizadamente, digamos sem ser nesta segunda-feira, a outra?" Ou, ainda: "Meu primo é general!"

— Qual é a segunda fase?

— É a da Cobra. Se o adversário se convence com nossas palavras e cessa o seu ataque, devemos então dizer alguma coisa como "Olha pra trás!" e no momento em que ele se vira dar-lhe um soco na nuca e ao mesmo tempo gritar a frase ritual "Ha, caiu!".

— E a terceira?

— A da Galinha. Quando o adversário se vira, furioso com o Golpe da Cobra, devemos berrar e pular como uma galinha assustada, de modo a confundi-lo e comprometer a seriedade da situação. Esta é a fase que requer maior concentração, e portanto é a mais difícil. Aliás, só damos o título de Mestre Borra-dô a quem conseguir imitar uma galinha histérica com perfeição. O próprio Pulha, segundo a lenda, passou 40 anos em meditação dentro de um galinheiro budista, alimentando-se de milho e ovo cru, até conseguir dominar a fase da Galinha. Claro que, com os métodos audiovisuais modernos, nós conseguimos isto com o aluno em muito menos tempo.

— Qual é a quarta fase?

— Vou demonstrar.

E Imajina saiu correndo. Voltou pouco depois para explicar:

— É a fase do Rato, a fase final, a culminância de toda a arte borra-dô. A Fuga. O Pulha só morreu, aos 180 anos, porque no seu último encontro, depois de completar com perfeição todas as fases do borra-dô, falhou na fase fundamental do Rato, tropeçando na própria barba e caindo de cara no chão, onde foi desmembrado pelos adversários furiosos. Nós aconselhamos nossos alunos a nunca deixarem crescer a barba.

Imajina completou suas explicações:

— Claro que existem variações nas diversas fases. Na da Cobra, por exemplo, quando o adversário for adepto do caratê, podemos esperar até que ele se prepare para quebrar uma pilha de telhas com a mão para nos intimidar e quebrar uma telha na cabeça dele bem na hora do golpe. Ou então...

Grande família

!

Uma mulher fantástica

Ela perguntou como ele reagiria se um dia uma tia hipotética dela viesse hospedar-se com eles. Ele respondeu:

— E desde quando a sua tia solteira de Surupinga se chama Hipotética? Eu sei que ela se chama Amanda. Você vive falando nela.

— Está bem. A tia não é hipotética. É a tia Amanda.

— A visita dela é hipotética.

— Também não.

— Eu sou hipotético.

— Não. Você é um homem compreensivo, que receberá a tia Amanda como se ela fosse a sua tia também. Porque você sabe como eu gosto dela.

— Você não gosta da sua tia Amanda. Você adora a sua tia Amanda. A tia Amanda é seu ídolo.

— Eu sempre achei ela um exemplo de mulher moderna, ativa, independente...

— Que nunca saiu de Surupinga.

— Como não? A tia Amanda mora em Surupinga mas conhece o mundo todo! Já fez até curso de respiração cósmica na Índia.

— Respiração cósmica?

— Você aprende a respirar no ritmo do Universo, muito mais lento e profundo do que o ritmo da Terra.

— E do que o de Surupinga...

— Ela sempre volta para Surupinga porque cuida dos negócios da família. A tia Amanda também é uma executiva de sucesso. É uma mulher fantástica.

— E quando seria essa visita hipotética da tia Amanda?

Ouvem a campainha da porta.

— Deve ser ela agora!

— Espera. E onde a tia Amanda vai dormir?

— Aqui, no sofá.

— No sofá? Não vai ser desconfortável, para uma senhora?

— E quem disse que ela é uma senhora?

Tia Amanda não é uma senhora. É uma moça. Linda. Elegante. Fantástica.

— Titia!

— Celinha! Querida!

— Entre!

— Preciso de um homem para carregar esta mala.

— Por sorte, eu tenho um em casa.

Tia Amanda examina-o dos pés à cabeça.

— Mmm. Então esse é o famoso... como é mesmo o nome?

— Reinaldo.

Quem diz o nome é a Celinha, porque Reinaldo está paralisado. Fascinado. Embasbacado. Finalmente, consegue falar.

— E essa é a famanda tia Amosa. Ahn, a famosa tia Amanda.

Tia Amanda olha em volta da sala, antes de dar seu veredicto com um sorriso irônico:

— Acolhedora.

— Você gosta?

— Um dia vocês lembrarão deste período em suas vidas e se perguntarão: "Como pudemos ser felizes com tão pouco?" É o que os franceses chamam de "nostalgie de la privation"...

— E como vão todos em Surupinga?

— Ninguém vai em Surupinga, minha querida. Em Surupinga só se fica.

— E você, titia? Arrasando corações, como sempre?

— Você sabe o que eu penso dos homens, Celinha. Homem só serve para abrir pote e segurar porta.

Ela se dá conta da presença de Reinaldo e acrescenta:

— Desculpe, Roberto. E para carregar mala.

— E os negócios?

— Cada vez melhores e mais aborrecidos. Eu precisava dar uma saída. Como Paris nesta época é muito chuvosa e Nova York tem brasileiro demais, decidi vir visitar minha sobrinha querida, que não via há tanto tempo.

— E conhecer meu marido.

— Quem? Ah, isso também. Mas chega de falar só de mim. Vamos falar de você. Você estava com saudade de mim, estava?

Mais tarde, Reinaldo e Celinha no quarto:

— Você disse que ela era fantástica mas esqueceu um detalhe.

— Qual?

— Ela, além de fantástica, é... fantástica!

— Vocês conversaram bastante enquanto eu fazia o jantar...

— Conversamos. Combinamos que ela vai me dar aulas de respiração cósmica.

Celinha ficou pensativa, antes de dizer:
— Não sei se vai ter tempo...
— Por quê?
— Ela vai embora amanhã de manhã.
— Já? Por quê?
— Os negócios em Surupinga. Estão exigindo a presença dela.
— Ela lhe disse?
— Não. Ela ainda não sabe.
Celinha chegara à conclusão de que as pessoas às vezes podem ser fantásticas demais.

Acho que tou

— Acho que tou — disse a Vanessa.
— Ai, ai, ai — disse o Cidão.
No entusiasmo do momento, os dois a fim e sem um preservativo à mão, a Vanessa tinha dito "Acho que dá". E agora aquilo. Ela podia estar grávida.
Do "Acho que dá" ao "Acho que tou". A história de uma besteira.
Mais do que uma besteira. Se ela estivesse mesmo grávida, uma tragédia. Tudo teria que mudar na vida dos dois. O casamento estava fora de questão, mas não era só isso. A relação dos dois passaria a ser outra. A relação dela com os pais. Os planos de um e de outro. O vestibular dela, nem pensar. O estágio dele no exterior, nem pensar. Ele não iria abandoná-la com o bebê, mas a vida dele teria que dar uma guinada, e ele sempre culparia ela por isto. Ela não saberia como cuidar de um bebê, sua vida também mudaria radicalmente. E se livrarem do bebê também era impensável. Uma tragédia.

— Quando é que você vai saber ao certo?

— Daqui a dois dias.

Durante duas noites, nenhum dos dois dormiu. No terceiro dia ela chegou correndo na casa dele, agitando um papel no ar. Ele estava no seu quarto, adivinhou pela alegria no rosto dela qual era a grande notícia.

— Não tou! Não tou!

Abraçaram-se, aliviados, beijaram-se com ardor, amaram-se na cama do Cidão, e ela engravidou.

E o noivo estava de tênis

A Bíblia não esclarece se Adão e Eva chegaram a se casar, formalmente. Deve ter havido algum tipo de solenidade. Na ausência de um padre, o próprio Criador, na qualidade de maior autoridade presente — algo assim como o comandante de um navio em alto-mar —, deve ter oficiado a cerimônia. No momento em que Deus perguntou se alguém no paraíso sabia de alguma razão para que aquele casamento não se realizasse, Adão chegou a ter alguma esperança (afinal, era muito moço, não sabia se estava pronto para um passo tão importante, e ele e Eva mal se conheciam), mas os bichos em volta, que não sabiam falar, só se entreolharam, e nenhum deu um pio. A cerimônia foi simples e rápida e apesar de alguns problemas — Adão não tinha onde carregar as alianças, por exemplo — chegou ao seu final sem tropeços. E Adão e Eva viveram felizes por 930 anos, e isto que na época ainda não existiam os antibióticos, e tiveram muitos filhos, e netos, e bisnetos, e tataranetos, e... Bem, você conhece a História. Foi o primeiro casamento feliz, apesar daquele incidente desagradável com a serpente.

*

O casamento foi a maneira que a humanidade encontrou de propagar a espécie sem causar falatório na vizinhança. As tradições matrimoniais se transformaram através dos tempos e variam de cultura para cultura. Em certas sociedades primitivas o tempo gasto nas preliminares do casamento — corte, namoro, noivado etc. — era abreviado. O macho escolhia uma fêmea, batia com um tacape na sua cabeça e a arrastava para a sua caverna. Com o passar do tempo, claro, este método foi sendo abandonado. A mulher já não admitia um período pré-conjugal tão curto e rude. O homem precisava aproximar-se dela, cheirar seus cabelos, grunhir no seu ouvido, dar um colar de dentes de sabre e só então, quando ela estivesse distraída, bater com o tacape na sua cabeça e arrastá-la para a caverna.

Em sociedades um pouco mais sofisticadas instituiu-se o dote. Ou seja, as mulheres, como caixas de sabão em pó, passaram a vir com brinde. E era comum a barganha entre o noivo e o pai da noiva.

— Dois camelos, quatro cabritos, sete cântaros de azeite e não se fala mais nisto.

— E o ouro?

— Ouro? Ouro?! Você está levando a luz dos meus dias, esta flor do deserto, e ainda quer ouro?!

— Sei não...

— Os camelos valem mais que ouro. Pode examinar os dentes.

— Deixa ver...

— Ei! O camelo é aquele ali. Essa é a noiva.

Houve uma época em que os pais se encarregavam de casar os filhos sem que estes soubessem. Muitas vezes os noivos só se conheciam no dia do casamento. E depois da cerimônia saíam, ofegantes, para a lua de mel, e entravam na sua alcova perfumada, e tiravam suas roupas, e aproximavam-se, tremendo de expectativa, um do outro — e apertavam-se as mãos.

— Prazer.

— Prazer.

— Você é daqui mesmo?

Quase sempre eram casamentos de conveniência. Famílias que juntavam suas fortunas, ou uma família arruinada que negociava uma filha ou um filho pela melhor oferta, ou até reinos que faziam alianças através de casamentos arranjados por ministros mais preocupados com política do que com romance. Quase todas as famílias reais da Europa são aparentadas, de um jeito ou de outro, e têm no seu passado um príncipe débil mental que só conseguiu casar por razões de Estado, ou uma princesa infeliz.

— Minha filha, pense só: você vai casar com um nobre!

— Ora, mamãe, ele é apenas um conde.

— Mas é rico e influente.

— Mas aquela palidez. Aquelas olheiras. Aquele cabelo engomado.

— Bobagem! E você vai adorar a Transilvânia.

A literatura romântica está cheia de pobres moças obrigadas a se sujeitarem a velhos com gota e mau hálito para satisfazerem aos pais, e que sonham com um Príncipe Encantado que as arrebatará. O curioso é que o sonho é sempre com um príncipe. Nenhuma sonha, por exemplo, com um Cavalariço Encantado ou com um Caixeiro Encantado. Querem que seu salvador seja jovem e bonito e apaixonado, mas que também tenha estabilidade financeira, propriedade e criados, porque é preciso pensar no amanhã.

*

A verdade é que, até não faz muito, o lado prático do casamento sobrepujava a paixão. Desapareceu o ogro das histórias antigas, ao qual a jovem sacrificava seus sonhos em troca da segurança, mas foi substituído pelo Bom Partido. As moças não eram mais negociadas, grosseiramente, com maridos que podiam lhes garantir o futuro, mas eram condicionadas a escolher o Bom Partido. Não era obrigação, longe disso, elas eram livres. Na hora de namorar, namorar, tudo bem. Até com o Cascão, o coleguinha da escola. Mas na hora de casar...

— Eu e o Cascão vamos casar.

— Vocês dois, hein? Sempre fazendo tudo juntos. Com quem vocês vão casar?

— Ora, com quem! Um com o outro. Nós nos amamos.

— O quê?! Mas, minha filha. Vocês, vocês... Vocês são tão amigos!

— Já marcamos a data.

— Eu nem sei o nome do Cascão!

— O que importa o nome? Vamos nos casar e pronto.

— O que que o Cascão faz? Como é que vocês vão viver?

— Ele está estudando.

— O quê?

— Jornalismo.

— AKH!!!

A era do Bom Partido acabou quando a mulher ganhou sua independência, e isto é recente. As mulheres tinham que se sujeitar a casamentos que fossem convenientes antes de qualquer outra coisa porque dependeriam do marido para sobreviver. Paradoxalmente, foi quando abandonou o velho estereótipo da submissão, a velha ideia romântica de ser frágil e sonhadora, que a mulher pôde realizar o ideal romântico do casamento por amor. Hoje ela pode casar com o Cascão exclusivamente porque o ama. E até sustentá-lo depois do casamento sem que isto ameace sua sobrevivência — ou o amor. Claro, ainda há muito que fazer até que a mulher conquiste todos os direitos a que tem direito. Mas já vai longe o tempo em que o único jeito de uma mulher avançar socialmente, ou conservar sua posição social, era com um "bom" casamento. Hoje ela casa com quem quer. E não há nada que os pais possam fazer a respeito.

*

— Minha filha. Minha única filha.
— Calma.
— A culpa é sua. Você vivia dizendo para ela arranjar um bom partido. É lógico que ela fez exatamente o contrário.
— Não sei de quem ela herdou esta independência. De mim é que não foi. Meu marido foi meu pai que escolheu.
— Arrá! Finalmente. Revelações! Quer dizer que seu pai é que me escolheu?
— Bem, não foi bem assim. Eu apresentei pra ele uma lista tríplice e você foi o escolhido.
— E todos estes anos eu pensei que nós tínhamos casado por amor!
— Ora, Martinho. Claro que foi por amor. Eu amava os três da lista. Papai apenas desempatou, pelo critério saldo bancário. Ele não podia saber, claro, que o Braga ia ficar mais rico que você.
— Não seja por isso. Nós nos divorciamos e você casa com o Braga. Ele está um caco velho, é verdade, mas o dinheiro dele continua saudabilíssimo. Seu pai deve estar se contorcendo na cova. Vamos...
— Ssssh. Estão olhando pra nós.
— Quem são aqueles ali?
— Os padrinhos do noivo.
— Estão todos de tênis.

— Eu sei, Martinho. Calma.
— Estão todos de tênis!
— Sssshhh.
— Minha filha. Minha única filha...
— Ela está linda, né?
— Espero que eles não estejam contando com o meu dinheiro. Não dou um tostão.
— Ela já tem um emprego. Vai sustentar a casa até que ele se forme e comece a trabalhar.
— Tanto bom partido por aí. Aliás, o próprio Braga...
— Não seja ridículo. Olha ali.
— O quê?
— O noivo. Aparou a barba. Até que está elegante, né?
— Ele também está de tênis!
— Calma, Martinho.
— Escuta, eu já esqueci. Como é mesmo o nome do Cascão?
— É Rubens, Martinho. É Rubens.

Complô

Mal chegou no céu, o gaúcho pediu para falar com Deus. Queria fazer uma queixa. Deus estava em reunião e o gaúcho foi encaminhado a São Pedro. São Pedro estava na sala de comando meteorológico. Era ali, cercado por sua equipe à frente de painéis sofisticadíssimos, que São Pedro dirigia o tempo no mundo.

— O que é? — disse São Pedro, sem olhar para o gaúcho. Prestava atenção numa tela à sua frente.

— Estão contra nós — queixou-se o gaúcho.

— Quem?

— Todo mundo.

— Bobagem.

— Verdade. Veja só o que tem nos acontecido.

E, seguindo São Pedro pela sala enquanto este ajustava controles e checava mostradores, o gaúcho contou tudo que tinham feito ao Rio Grande do Sul nos últimos tempos. Tudo. Concluiu dizendo que aquilo só podia ser uma campanha organizada. Um complô contra o Rio Grande!

— Paranoia — sentenciou São Pedro.

— Fazem pouco de nós. Nós...

Mas São Pedro o interrompeu com um gesto. Apontou para uma tela.

— Veja. Por coincidência, vamos programar o tempo no Rio Grande do Sul para as próximas horas.

E São Pedro passou a dar ordens a seus comandados.

— Grandes nuvens negras!

— Grandes nuvens negras — confirmou o encarregado do setor.

— Relâmpagos espetaculares!

— Relâmpagos espetaculares.

— Trovões retumbantes!

— Trovões retumbantes.

O gaúcho entusiasmado chegou a ficar na ponta dos pés, de tão ansioso, esperando a ordem final de São Pedro.

— E atenção — disse São Pedro.

Todos esperavam a ordem. São Pedro fechou os olhos, como que buscando inspiração, e ficou assim por instantes. Depois decretou:

— Chuviscos.

Houve risadas generalizadas da equipe.

Quando saía da sala, o gaúcho viu, com o rabo dos olhos, São Pedro tapar a boca para não rir também. O complô era mais amplo do que se imaginava.

Emergência

É fácil identificar o passageiro de primeira viagem. É o que já entra no avião desconfiado. O cumprimento da aeromoça, na porta do avião, já é um desafio para a sua compreensão.

— Bom dia...
— Como assim?

Ele faz questão de sentar num banco de corredor, perto da porta. Para ser o primeiro a sair no caso de alguma coisa dar errado. Tem dificuldade com o cinto de segurança. Não consegue atá-lo. Confidencia para o passageiro ao seu lado:

— Não encontro o buraquinho. Não tem buraquinho?

Acaba esquecendo a fivela e dando um nó no cinto.

Comenta, com um falso riso descontraído: "Até aqui, tudo bem." O passageiro ao lado explica que o avião ainda está parado, mas ele não ouve. A aeromoça vem lhe oferecer um jornal, mas ele recusa.

— Obrigado. Não bebo.

Quando o avião começa a correr pela pista antes de levantar voo, ele é aquele com os olhos arregalados e a expressão de Santa Mãe do Céu! no rosto. Com o avião no ar, dá uma espiada pela janela e se arrepende. É a última espiada que dará pela janela.

Mas o pior está por vir. De repente, ele ouve uma misteriosa voz descarnada. Olha para todos os lados para descobrir de onde sai a voz.

"Senhores passageiros, sua atenção, por favor. A seguir, nosso pessoal de bordo fará uma demonstração de rotina do sistema de segurança deste aparelho. Há saídas de emergência na frente, nos dois lados e atrás."

— Emergência? Que emergência? Quando eu comprei a passagem ninguém falou nada em emergência. Olha, o meu é sem emergência.

Uma das aeromoças, de pé ao seu lado, tenta acalmá-lo.

— Isto é apenas rotina, cavalheiro.

— Odeio a rotina. Aposto que você diz isso para todos. Ai, meu santo.

"No caso de despressurização da cabina, máscaras de oxigênio cairão automaticamente de seus compartimentos."

— Que história é essa? Que despressurização? Que cabina?

"Puxe a máscara em sua direção. Isto acionará o suprimento de oxigênio. Coloque a máscara sobre o rosto e respire normalmente."

— Respirar normalmente?! A cabina despressurizada, máscaras de oxigênio caindo sobre nossas cabeças — e ele quer que a gente respire normalmente.

"Em caso de pouso forçado na água..."

— O quê?!

"...os assentos de suas cadeiras são flutuantes e podem ser levados para fora do aparelho e..."

— Essa não! Bancos flutuantes, não! Tudo, menos bancos flutuantes!

— Calma, cavalheiro.

— Eu desisto! Parem este troço que eu vou descer. Onde é a cordinha? Parem!

— Cavalheiro, por favor. Fique calmo.

— Eu estou calmo. Calmíssimo. Você é que está nervosa e, não sei por quê, está tentando arrancar as minhas mãos do pescoço deste cavalheiro ao meu lado. Que, aliás, também parece consternado e levemente azul.

— Calma! Isso. Pronto. Fique tranquilo. Não vai acontecer nada.

— Só não quero mais ouvir falar em banco flutuante.

— Certo. Ninguém mais vai falar em banco flutuante.

Ele se vira para o passageiro ao lado, que tenta desesperadamente recuperar a respiração, e pede desculpas. Perdeu a cabeça.

— É que banco flutuante é demais. Imagine só. Todo mundo flutuando sentado. Fazendo sala no meio do oceano Atlântico!

A aeromoça diz que vai lhe trazer um calmante e aí mesmo é que ele dá um pulo:

— Calmante, por quê? O que é que está acontecendo? Vocês estão me escondendo alguma coisa!

Finalmente, a muito custo, conseguem acalmá-lo. Ele fica rígido na cadeira. Recusa tudo que lhe é oferecido. Não quer o almoço. Pergunta se pode receber a sua comida em dinheiro. Deixa cair a cabeça para trás e tenta dormir. Mas, a cada sacudida do avião, abre os olhos e fica cuidando a portinha do compartimento sobre sua cabeça, de onde, a qualquer momento, pode pular uma máscara de oxigênio e matá-lo do coração.

De repente, outra voz. Desta vez é a do comandante.

— Senhores passageiros, aqui fala o comandante Araújo. Neste momento, à nossa direita, podemos ver a cidade de...

Ele pula outra vez da cadeira e grita para a cabina do piloto:

— Olha para a frente, Araújo! Olha para a frente!

O líder natural

Um avião cai nos Andes. Ou nos Alpes? Nos Andes, nos Andes. Enfim, um avião cai no topo nevado de uma montanha. Todos os seus ocupantes sobrevivem à queda, mas como o socorro custa a chegar, e abandonar o abrigo dos destroços do avião para enfrentar as nevascas e ir procurar ajuda significaria morte certa, os sete — são sete — veem-se diante do seguinte problema: como permanecer vivos até serem resgatados.

Têm água da neve mas não têm comida, depois que acabar o amendoim. O que fazer?

Os dias passam, o socorro não vem, e cresce entre os sete a certeza de que serão obrigados a recorrer ao canibalismo. Um deles terá de morrer para que os outros se alimentem. Mas quem deve morrer? Qual o critério para escolher o sacrificado?

— Deve ser o mais velho entre nós — opina um jovem. — Um que já viveu bastante, e cujo sacrifício beneficiará os que ainda terão uma vida pela frente, se formos salvos.

— Não esqueçam — diz o mais velho entre eles — que a carne dos idosos é mais dura. E, também, que os mais velhos são mais filosóficos. Desconfio que, se o socorro não vier e nosso fim se revelar inevitável, precisaremos mais de filosofia do que de carne.

— Devemos matar e comer o mais fraco entre nós — diz um musculoso. — Não só será o que oferecerá menor resistência, como a sua carne será provavelmente mais tenra.

— Epa — diz o aparentemente mais fraco de todos. — Onde estamos? A lei do mais forte não pode imperar entre pessoas civilizadas. Proponho um sorteio. Quem perder será o sacrificado.

Nestas ocasiões, sempre aparece um líder natural, alguém com senso prático e superioridade intelectual, que se impõe aos demais. É o que acontece. O líder natural se manifesta:

— Devemos repudiar qualquer tipo de solução que agrida a moral, como a de sacrificar o mais velho só por ser o mais velho, ou a ética, como a dos fortes subjugarem os fracos. Também devemos evitar qualquer tipo de imposição alheia a uma decisão humana, como a da pura sorte no caso de um sorteio. Somos seres racionais, capazes de decidir seu destino racionalmente, e democraticamente.

E propõe:

— Todos devemos nos sacrificar, de forma equânime. É a única solução ética, a única solução moral, a única digna de homens decentes. Em vez de um de nós morrer para alimentar os outros, todos devem dar uma parte do seu corpo para ser comida. E para que a igualdade seja completa, a parte sacrificada do corpo de cada um deve ser a mesma. O braço direito, que faz falta a todos na mesma proporção.

Apesar de alguns protestos, todos acabam aceitando a proposta racional.

Afinal, são homens decentes. E a argumentação do líder natural, de sacrifícios iguais para homens iguais, é irrespondível. Semanas depois, os destroços do avião são localizados e uma turma de resgate descobre seis homens vivos no seu interior. Cinco sem o braço direito, um — o mais musculoso — com os dois braços. E o esqueleto de um sétimo homem, o líder natural, sob cujas ordens cada um tinha cortado o braço direito do outro, até chegar a sua vez de cortar o braço direito do musculoso, quando se revelara que ele era o único canhoto do grupo, e todos tinham caído em cima dele. E cuja carne os mantivera vivos até chegar o socorro. Significando, acho eu, que o importante não é o discurso, é quem discursa.

Duas-peças

Pai e filha, 1951, 52, por aí.

PAI — Minha filha, você vai usar... isso?
FILHA — Vou, pai.
PAI — Mas aparece o umbigo!
FILHA — Que que tem?
PAI — Você vai andar por aí com o umbigo de fora?
FILHA — Por aí, não. Só na praia. Todo mundo está usando duas-peças, pai.
PAI — Minha filha... Pelo seu pai. Pelo nome da família. Pelo seu bom nome. Use maiô de uma peça só.
FILHA — Não quero!
PAI — Então este ano não tem praia!
FILHA — Mas pai!

Pai e filha, 1986.

FILHA — Pai, vou usar maiô de uma peça.

PAI — Muito bem, minha filha. Gostei da sua independência. Por que ser como todas as outras? Uma peça. Ótimo. Você até vai chamar mais atenção.

FILHA — Só não decidi ainda qual das duas, a de cima ou a de baixo.

Conversas difíceis

!

Gerações

A conversa era difícil entre as gerações. Quando, por exemplo, o Velho dizia que jogador tinha sido o Leônidas, o filho discordava.

— Não sei, já vi beques melhores...

— Mas que beque? E o Leônidas era beque?

— De que Leônidas o senhor está falando?

— Leônidas da Silva! O Diamante Negro. Nunca houve outro.

— Ah! Eu estava falando em outro. Um que jogou no Botafogo...

O neto nem se manifestava. Não havia nenhum Leônidas digno de nota na sua geração.

— Beque era o Da Guia — dizia o Velho.

— O Ademir da Guia não era beque — retrucava o filho.

— E quem é que está falando no Ademir? Estou falando no Domingos. Até porque, Ademir, pra mim, só houve um. O Queixada. O homem do *rush*.

— Do quê?

— Do *rush*.

O filho sacudia a cabeça, divertido. O neto pensava vagamente em mencionar o Ademir do Inter, só para não ficar fora da conversa, mas desistia. Sobre cinema, então, o desencontro era completo.

— Barbara, Barbara... — tentava lembrar-se o Velho.

O sobrenome começa com "S".

— Streisand.

— Stanwick, isso! Que atriz. Ninguém gritava como ela. E o Robert.

— Redford?

— Taylor.

Na verdade, a diferença em anos não era tão grande assim. Não chegariam ao ponto de falar em Maria Antonieta e um estar pensando na do Luís XVI e o outro na Pons. Mas "Chico" para um era o Alves e para o outro só podia ser o Buarque de Hollanda. Que, aliás, para um não era o Chico, era o Sérgio. "Shirley" era Temple para o Velho e MacLaine para o filho. O neto quebrava a cabeça. Shirley. Conhecia alguma Shirley? Não havia nenhuma Shirley no seu universo. Ficava quieto.

— Richard Burton...

— Grande ator.

— Não era ator. Escritor e explorador inglês. Século XIX.

— Ah, século XIX...

Ou então:

— Verissimo... — dizia o filho.

— O José?

— O Erico.

"A Lúcia", pensava o neto, suspirando. Mas não abria a boca.

Até que um dia saiu uma discussão sobre se era "Halley" com dois "eles" ou "Haley" com um "ele" só. E o neto interferiu, seguro:

— É "Halley" com dois eles. Foi o nome do descobridor.
— Eu não disse? — falou o Velho, triunfante.
— Espere aí. De que Halley vocês estão falando?
— Do cometa! — disseram o Velho e o neto juntos. E depois ficaram trocando informações. "Tu viu ele da última vez, vô? Sei tudo sobre o cometa. Sabe que ele vai voltar?"

E deixaram o filho sozinho, sentindo-se abandonado, pensando que fim levara o seu disco do Bill Haley. O trecho da música é: *"One, two, three o'clock, four o'clock rock, five..."*

Os 64 caminhos

Ideia para uma história. O título poderia ser "O escolhido" ou "Os 64 caminhos". Ou, talvez, "Faltou alguém em Samarband". Um encanador vai atender a um chamado. É no apartamento de um velho que o recebe vestindo um robe tão desalinhavado quanto ele e pede, com um sotaque carregado, para o encanador dar uma olhada na pia do banheiro, que parece estar entupida. Pelo seu aspecto, e pelo aspecto do apartamento, o encanador deduz que o velho mora sozinho e raramente sai da sua toca malcheirosa. Enquanto conserta a pia, o encanador ouve tocar o interfone e depois ouve a voz do velho discutindo com alguém. Não consegue entender o que o velho está dizendo. É uma língua estrangeira. Depois, silêncio. Depois o velho entra no banheiro, muito agitado, carregando algo envolto num pano seboso que parece ser um cilindro. Entrega o volume ao encanador e diz:

— Por favor, leve isto. Saia pela porta de serviço. Rápido!
— Mas... O que é isto?

— São os caminhos. Importantíssimo. Centenas de vidas dependem deles.

— E o que eu faço com...

— Turquia. Istambul. Rua Caban, 117. Procure Malhamad. Entendeu? Malhamad. Importantíssimo.

O encanador, atordoado, recolhe suas ferramentas. Tenta protestar.

— Mas eu não posso. Eu...

O velho o interrompe. Começa a empurrá-lo na direção da porta da cozinha.

— Você nunca ouviu falar nos 64 caminhos?

— Nos quê?

Ouve-se a campainha da porta da frente. O encanador já está quase descendo pela escada. Da porta da cozinha, o velho continua.

— Os 64 caminhos. Sessenta e quatro. Oito vezes oito. A mãe do Buda era de uma família com 64 tipos de virtude. Sessenta e quatro gerações separavam Confúcio do começo da dinastia Hoang Ti. Jesus Cristo era o 64º na linha de descendentes diretos de Adão, segundo São Lucas. Sessenta e quatro mulas puxaram a carruagem fúnebre de Alexandre, o Grande, e 64 pessoas carregaram os restos mortais dos imperadores da China. E são 64 as casas num tabuleiro de xadrez. Não esqueça. Istambul. Rua Caban, 117. Malhamad. Malhamad! Diga que eu não vou poder ir, mas ele não pode perder o encontro. Importantíssimo!

— Eu não posso. Eu não tenho como...

— Você foi o escolhido, você não entende? Eles vieram me matar e levar a lista dos caminhos. Deus quis que você estivesse aqui para salvá-la.

— Mas por que você também não foge pela escada?

O velho apenas sorri e não diz nada. Fecha a porta de serviço e vai abrir a porta da frente. Uma semana depois, o encanador vê nos jornais. Corpo de velho solitário de origem desconhecida encontrado num apartamento. Cheiro insuportável atraíra vizinhos. Velho fora apunhalado 64 vezes. Três semanas depois o encanador vê na televisão: mais de cem pessoas de uma misteriosa seita chacinadas num lugar chamado Samarband enquanto esperavam a chegada de alguém com uma mensagem que nunca aparecera. A mensagem, segundo fora possível apurar, incluiria os 64 caminhos para salvar a humanidade que tinham sido ditados para aquele alguém durante um transe. Naquela noite, na cama, o encanador, que não contara nem para a mulher sobre o pacote do velho, fica pensando: o meu caminho eu sei qual é. É este. Sou um encanador, faço meu trabalho e não me meto na vida de ninguém. Naquele dia chegara na calçada e atirara o pacote seboso na primeira lata de lixo que encontrara. Ia se meter naquela história? Tirar dinheiro de onde para ir a Istambul, com o que ganhava? E completou em voz alta, antes de seguir seu caminho:

— Eu, hein?

Lerdeza

A frase que o Everton mais ouvia da mãe era "Levanta e vai buscar", geralmente seguida de um epíteto, como "Seu preguiçoso" ou, pior, "Lerdeza".

Porque o que o Everton mais fazia, atirado no sofá na frente da TV na sua posição de costume (que a mãe chamava de "estrapaxado"), era pedir para lhe trazerem coisas. Uma Coca. Uns salgadinhos...

— Levanta e vai buscar!

— Pô, mãe.

— Lerdeza!

O Everton já estava com 15 anos e era uma luta convencê-lo a sair do sofá e ir fazer o que os garotos de 15 anos fazem. Correr. Jogar bola. Namorar. Ou pelo menos ir buscar sua própria Coca.

— Esse menino um dia ainda vai se fundir com o sofá...

Everton não queria outra coisa. Ser um homem-sofá. Um estofado humano, alimentado sem precisar sair do lugar. E sem tirar os olhos da TV. E como era filho único, e insistente, sempre conseguia que lhe trouxessem o que pedia. Quando não era a mãe, sob protestos ("Toma, lerdeza, mas é a última vez"), era Marineide, a empregada de vinte e poucos anos cujo decote era a única coisa que fazia o Everton desviar os olhos da TV, e assim mesmo por poucos segundos. Um dia, estrapaxado no sofá, o Everton se deu conta de que estava sozinho em casa. A mãe tinha saído, o pai estava no trabalho, a Marineide de folga, e ele sem ninguém para lhe trazer uma Coca, umas batatas chips e uns Bis.

Levantar-se e ir buscar estava fora de questão. Fechou os olhos e concentrou-se. Concentrou-se com força. Depois de alguns minutos, ouviu ruídos vindo da cozinha. A geladeira abrindo e fechando. Uma porta de armário abrindo e fechando. Depois silêncio.

Quando abriu os olhos, a Coca, as batatas e os Bis pairavam no ar, à sua frente. Ele só precisou estender a mão. No dia seguinte, Everton testou seu poder recém-descoberto na Marineide, que até hoje não sabe como a sua blusa desabotoou sozinha e seu sutiã simplesmente voou longe daquele jeito, e logo na frente do menino. Everton também ligou a TV e mudou de canais sem precisar usar o controle remoto, e fez um vaso voar pela sala só com a força do seu pensamento. Apagou a TV e ficou, atirado no sofá, refletindo sobre o que significava aquilo. Ele era um fenômeno. Tinha um poder único — fazia as coisas acontecerem apenas pela sua vontade. Contaria aos pais, claro. Eles poderiam ganhar dinheiro com seu poder. O pai saberia como. Ele se transformaria numa celebridade. Cientistas do mundo inteiro o procurariam, sua capacidade extraordinária seria usada em benefício da humanidade. No combate ao crime, por exemplo. Nas comunicações. Na medicina a distância.

E se aquilo fosse, de alguma forma, um poder religioso? Até onde a revelação do seu dom milagroso seria um sinal de que ele tinha uma missão a cumprir na Terra? Até onde aquilo o levaria? Fosse o que fosse, uma coisa era certa. Ele teria que sair do sofá.

— Mãe.

— Ahn?
— Eu quero daquelas coisinhas de queijo. E uma Coca.
— Levanta e vai buscar.
— Pô, mãe.
— Tá bem. Mas esta é a última vez.
E já a caminho da cozinha:
— Lerdeza!

Linguiças calabresas

— Alô?
— Quem fala?
— Quem quer saber?
— Quem é, por favor?
— Diga você quem é.
— O dr. Márcio está?
— Quem quer saber?
— Está ou não está?
— Depende.
— Depende do quê?
— De quem quer saber.
— É o...
— Espere! Qual é o assunto?
— O assunto é com o dr. Márcio.
— Pode dizer pra mim.
— Mas quem é você?

— Primeiro me diga quem é você.
— Aqui é o...
— Não use seu nome verdadeiro!
— Por quê?
— Use um pseudônimo.
— Que história é essa? Por que pseudônimo?
— Podem estar gravando.
— Quem?
— E eu sei?
— Dr. Márcio... é o senhor?
— Não. Meu nome é... deixa ver... Balduíno.
— Você se chama Balduíno?
— Claro que não. É pseudônimo. Invente um também.
— Isto é ridículo.
— Eu vou desligar.
— Está bem! Frajola.
— "Frajola"?!
— Jaime! Jaime!
— Muito bem, Jaime. E qual é o assunto?
— É com o dr. Márcio.
— Pode me dizer que eu transmito pro Márcio. Que também é um pseudônimo, claro.
— "Márcio" não é o nome do dr. Márcio?
— Depende do assunto.
— É sobre o pacote que ele encomendou do...
— Espere! Não fale assim tão claramente. Use linguagem figurada.
— Linguagem figurada?
— É. Em vez de pacote, diga coisa. Não, "coisa" pode ser mal interpretado. Diga "encomenda".

— A encomenda que ele encomendou do...

— Não diga o nome!

— Por quê?!

— Não queremos incriminar ninguém.

— Mas não há crime algum!

— Isto vai depender da interpretação. Esta conversa já está pra lá de suspeita.

— Eu só queria avisar ao dr. Márcio que as linguiças chegaram.

— As linguiças. Boa, boa. O pseudônimo de "encomenda".

— Não, são linguiças mesmo.

— Um pacote de linguiças?

— É. Calabresas. Que o dr. Márcio encomendou do... De alguém.

— Já entendi! Já entendi tudo. Você é que está gravando este telefonema. Esta conversa toda é para me incriminar. Ou incriminar o Márcio. Pseudônimos. Linguagem figurada... Já vi tudo! Amanhã ela sai no *Jornal Nacional* e é óbvio que "pacote de linguiças calabresas" vai parecer código.

— Mas foi você que sugeriu os pseudônimos, a linguagem figurada, o...

— Arrá! Vocês não me pegam. Nego tudo. Aliás, nem sou eu falando. Provem que sou eu.

— Quer saber de uma coisa, seu Balduíno? Pra mim chega. O recado está dado. As linguiças chegaram. Passe bem.

— Espere. Agora me lembro. As linguiças que eu encomendei. Calabresas. Claro, claro. Me lembrei.

— É o senhor, dr. Márcio?

— É. Claro, claro, sou eu. Desculpe. Sabe como é. A gente vai ficando meio paranoico...

O deus Kramatsal

Dudu convenceu os pais de que estudar não era com ele.

— Não me amarro, entende?

O pai do Dudu ainda tentou dissuadi-lo de largar a escola.

— Eduardo, fica só pelo diploma. Só pra ter cela especial.

— Meu negócio é outro.

O negócio do Dudu era surfar. E como Dudu era filho único e sempre conseguia o que queria, saiu a surfar pelo mundo. Só entrava em contato com a família para pedir dinheiro. Volta e meia mandava um postal de um lugar estranho, dizendo que estava bem, saúde perfeita. Saúde com cê-cedilha.

Mas um dia telefonou para avisar que estava voltando, e com uma surpresa.

A surpresa era Sakiri. Ou "princesa Sakiri", como ele a apresentou à família boquiaberta. Sakiri era uma das cinco filhas do chefe Bobua, rei da ilha Maaboa, uma das Epírades Ocidentais. Ela e Dudu tinham se casado numa cerimônia à beira de um vulcão, e a festa do casamento durara três dias.

Dudu podia escolher entre as cinco filhas do rei e escolhera a mais bonita.

E Sakiri era mesmo linda. E olhava para o Dudu com adoração, como se Dudu fosse um deus. E a cada coisa que o Dudu dizia, seus olhos brilhavam, maravilhados.

— Tô bem de mina, hein, galera?

E Sakiri quase se desmanchava.

Sakiri falava um pouco de inglês, e foi através dela que a família ficou sabendo mais sobre aquele casamento insólito. Dudu chegara em Maaboa de barco, vindo de outra ilha. Ouvira dizer que as ondas dali eram ótimas para surfar. Na chegada, recebido por nativos na praia, dissera as exatas palavras que, segundo uma velha lenda, seriam ditas pelo deus Kramatsal quando voltasse à Terra. O deus Kramatsal poderia voltar à Terra em qualquer forma e de qualquer cor: suas palavras é que o identificariam. E Dudu dissera as palavras, as exatas palavras, que o identificavam como o deus Kramatsal! Que, segundo a lenda, casaria com uma das filhas do rei, à sua escolha, e ficaria na ilha para salvá-la, como já tinha acontecido no passado.

— Dudu, o que foi que você disse quando chegou na praia?

— Não me lembro. Acho que foi "E aí, macacada?". Por quê?

Dudu não tinha ideia do que causara todo aquele rebuliço, na sua chegada à ilha. A procissão nos ombros dos nativos até a presença do rei Bobua e a escolha de uma das suas filhas para casar, as homenagens e os presentes que recebia dos nativos a toda hora... Como era filho único, acostumado a ser mimado, aceitara tudo aquilo com naturalidade. Estava agradando, era só isso. Ficou surpreso ao saber que era considerado um deus redivivo.

Kramaoquê?

— E eu que pensei que era tudo hospitalidade, pô.

A muito custo, a família convenceu Dudu a ficar em casa, com sua nova mulherzinha. O pai lhe conseguiria um emprego, e sempre que quisessem eles poderiam passar algumas semanas em Maaboa, onde as ondas eram ótimas para surfar. Mas um dia Sakiri viu no *Jornal Nacional* que um vulcão na ilha de Maaboa, uma das Epírades Ocidentais, estava ameaçando entrar em erupção, e anunciou que precisava voltar para a sua ilha imediatamente — e Dudu precisava ir com ela. Não adiantou a família dizer que aquilo era loucura, os dois tinham que voltar a Maaboa. Com urgência.

Mesmo quando foi levado até a beira do vulcão fumegante, Dudu não se deu conta do que esperavam dele. Se não dissesse a palavra mágica que fizesse a lava borbulhante retroceder, seria jogado dentro do vulcão, como já acontecera com o deus Kramatsal em sua outra encarnação. Dudu olhou dentro do vulcão, onde a lava borbulhante crescia cada vez mais e em pouco tempo transporia as bordas da cratera e arrasaria com a ilha e, provavelmente, todas as Epírades Ocidentais, e exclamou:

— Cacete!

Deu certo. A lava borbulhante retrocedeu, o vulcão serenou, a ilha e o arquipélago foram salvos.

Os dois aproveitaram para ficar uns dias em Maaboa. Sakiri reviu sua família, Dudu pegou algumas ondas ótimas e o rei Bobua deu várias indiretas sobre a possibilidade de um neto, já que precisa de um herdeiro.

Uma de cavalo

Contam que o forasteiro chegou na cidade e foi direto pra cancha reta, pois gostava de uma corrida de cavalos. Como não era da cidade, quis primeiro examinar o ambiente e sentir as manhas do lugar antes de se aventurar numa aposta. Aproximou-se de um tipo que parecia saber tudo dali e puxou conversa.

"Buenas." "Buenas." "Bagualada linda." "Masbá" etc. Conversa vai e volta, e o forasteiro perguntou ao da terra qual era o melhor cavalo daquelas bandas. O outro nem pigarreou. Apontou com o palheiro e disse: "Aquele ali."

E era mesmo um cavalo vistoso. E fogoso. Parecia impaciente para sair de dentro do cercado onde estava.

— Belo animal — comentou o visitante.

— Ganha de qualquer um aqui — disse o outro. E continuou: — Aquilo não é cavalo, é gente.

— Como, gente?

— Corre por gosto. Não precisa chicotear. Não precisa nem dizer "Vamo". Largou, ele vai.

— E vai mesmo...

— Vai que te vai. Não gosta de ver outro na frente. Atropela o que tiver no caminho. Pode ser cusco ou criança. O que ele quer é ganhar.

— E ganha.

— Ganha todas.

— Nunca perdeu?

— Nunca.

O forasteiro olhou de novo para o animal, que continuava andando em círculos dentro do cercado e de vez em quando parecia ensaiar um impulso para pular a cerca e correr para a cancha.

— Quer dizer que é aposta certa? — perguntou o forasteiro.

— Bueno. Seria...

— Por que "seria"?

— É que ele não corre.

— Não corre hoje?

— Não corre há tempos. Desde que descadeirou o último que montou nele. Aliás, já quebrou uma porção.

— Mas ele corre tanto que derruba quem tá em cima?

— Bueno, na corrida não hai perigo. O vivente meio que se equilibra. O perigo é depois da corrida.

— Quando?

— Quando o animal pula e dá um soco no ar pra comemorá a vitória.

A orelha

De todos os órgãos do corpo, a orelha é o único cuja forma ultrapassa a função. Todos os outros órgãos têm a forma adequada à sua finalidade — mais da metade das curvas e nichos da orelha são desnecessários. São, portanto, puro exibicionismo. A complexidade interna do ouvido — seus labirintos e artelhos — se justifica. Nada justifica as viravoltas externas da orelha, as falsas entradas, os cornichos, as cavernas, desafios à lógica e ao cotonete. Alguns órgãos do corpo chegam ao barroco, só a orelha dá o passo fatal, que acabou com o Renascentismo, para o rococó. A orelha denuncia uma perigosa tendência latente na criação para o excesso, para a forma pela forma, para o ornamentalismo vazio. Achei que devia fazer este alerta.

Metamorfoses

!

Sexta-feira 13

— Não sou supersticioso — dizia, mas nas sextas-feiras 13 fazia o seguinte: não saía de casa. Entende?

— Vamos que me acontece alguma coisa. Aí eu fico supersticioso.

Para proteger seu racionalismo, não se expunha. Não saía de casa. Não saía nem da cama.

— Telefona para o trabalho. Diz que eu estou gripado.

A mãe ia telefonar.

— E mãe...

— O quê?

— Me traz o café na cama?

A mãe trazia.

Ontem ele pediu para a mãe telefonar. Em vez de gripe, para não desconfiarem, mandou dizer que tinha torcido o pé. No escritório as pessoas comentaram:

— Já notaram? Toda sexta-feira 13 acontece alguma coisa com ele.

— Que azar!

Tomou café, almoçou e jantou na cama. Só levantou duas ou três vezes para ir ao banheiro — com muito cuidado. Dormiu um pouco. Leu um pouco, nada muito arriscado. Só quando o velho relógio da sala, o que imitava o Big Ben, tocou meia-noite, ele se levantou, escovou os dentes, tomou banho e se arrumou para sair.

— Onde é que tu vai? — perguntou a mãe.

— Pra vida, coroa. Pra vida.

Encontrou com a turma no bar. Durante a conversa, um dos amigos comentou:

— Ganhamos uma hora de existência.

E o outro corrigiu:

— Ganhamos, não. Recuperamos.

Ele não entendia nada.

— Como? O quê? Que história é essa?

— Acabou o horário de verão. Todos os relógios atrasaram uma hora.

— Quer dizer que ainda é sexta-feira 13?

Um amigo olhou o relógio.

— Por mais... vinte e dois minutos.

Ele saiu correndo do bar. Precisava voltar para casa. Precisava voltar para a...

Desapareceu num bueiro.

Na palma da sua mão

E tem a história do cara que foi consultar uma quiromante, para que ela lesse seu destino na palma da sua mão. Queria saber, acima de tudo, como e quando seria a sua morte. Queria saber seu futuro para poder evitá-lo, pois tinha um plano para ludibriar a Morte.

A quiromante sorriu.

— Ninguém pode mudar seu destino — disse.

— Eu posso — disse o homem.

A quiromante continuou a sorrir, alisando a palma da mão dele com a sua.

— Como você pretende ludibriar a Morte?

— Deixa comigo. Só me diga como e quando ela virá.

— O que está na palma da sua mão não pode ser mudado. Se eu lhe disser que você vai morrer em minutos, você vai morrer em minutos. Ninguém pode negociar com a Morte.

— Sabendo como e quando Ela virá, pode.

— Mas a Morte tem mil disfarces. Vem de várias formas, das maneiras mais inesperadas. Não pode ser evitada.

— Só me diga o que você vê na palma da minha mão e deixe o resto comigo.

Então a quiromante examinou a palma da mão do homem e parou de sorrir. Disse:

— Você vai morrer em minutos.

— Onde você viu isso? — perguntou o homem.

— Aqui — disse a quiromante, cruzando a linha da vida do homem com a sua unha envenenada.

E o homem morreu em minutos. A Morte tem mil disfarces.

O doze

O sábio vivia em perfeita integração com o cosmos. E gostava de contar que a sua vida era um exemplo de como a contemplação, aliada à inteligência prática, trazia a felicidade. Ele combinara metafísica com física, o místico com o real, a erudição com o discernimento, e por isso era feliz, integrado ao cosmos — e rico. Recebia grupos de pessoas que iam beber da sua sabedoria, e a todos contava que fora através da contemplação e do uso certo do contemplado, e de um pouco de sorte, que encontrara a resposta.

— E qual é a resposta, mestre?

— Doze.

— Doze, mestre?

— O número 12. Ele mudou a minha vida, e pode mudar a sua.

E o sábio contava que, nos seus estudos, quando ainda era um pobre observador do Universo, descobrira que o número 12 comandava os destinos, dele e de toda a humanidade. Doze era o número da harmonia. Do equilíbrio da condição humana com a geografia terrestre e os níveis cósmicos. Era os quatro pontos cardeais multiplicados pelas três dimensões de Deus. Os quatro elementos — Terra, Água, Fogo e Ar — multiplicados pelos três princípios básicos da alquimia: enxofre, sal e mercúrio. Os 12 sinais do Zodíaco. Os 12 meses lunares que completam o ciclo da Terra em torno do Sol. Doze vezes cinco dá 60, o número de anos que leva para os ciclos lunares e solares coincidirem.

E o sábio contava que, nos seus estudos de intelectual miserável, descobrira que eram 12 as portas do Templo do Céu pelas quais o imperador da China tinha que passar para assegurar um ano bom para os seus súditos. Doze eram as portas de Jerusalém, 12 as tribos de Israel, 12 os apóstolos de Cristo, 12 os cavaleiros da távola-redonda do rei Artur. No *Gênesis*, a Árvore da Vida dá 12 frutos. No *Livro das Revelações*, a mulher que aparece vestida de Sol traz na cabeça uma coroa com 12 estrelas.

E o sábio contava que um dia, o pior dos seus dias de penúria e dívidas, consultara o tarô e tirara o décimo segundo arcano maior, a carta do Homem Enforcado, que marca o apogeu de um ciclo evolutivo. O Homem Enforcado era ele! A carta seguinte era a da Morte, significando o renascimento espiritual. Um sinal de que ele estava à beira da redenção e de que o número 12 o salvaria. Naquela noite sonhou que estava num determinado cassino da Europa, e que uma força poderosa o impelia para uma mesa de roleta. Uma entre muitas mesas de roleta. No dia seguinte, entrava no tal cassino. O salão das roletas era enorme. Em que mesa deveria jogar? Decidiu-se pela décima segunda mesa à direita de quem entrava, já que 12 é número par e o lado direito é o lado par. Passou 12 horas de 12 dias acompanhando o jogo na décima segunda mesa, usando seu poder de contemplação filosófica. Descobriu que a mesa tinha um defeito e que era possível prever que certo número daria, a intervalos calculáveis. Jogara de acordo com seus cálculos e ganhara uma fortuna. A resposta para todos os seus problemas. A felicidade.

Um dia alguém do grupo que se sentara aos pés do sábio ficou para trás e perguntou:

— Mestre, onde fica esse cassino que tem a roleta com defeito, que dá o 12 a intervalos calculáveis?

O sábio sorriu.

— Procure o seu próprio caminho para a felicidade, meu filho.

— Sim, mestre.

— Até porque, não adiantaria você saber. O defeito foi corrigido depois que eu quebrei a banca.

— Sim, mestre.

— E outra coisa.

— O que, mestre?

— Não era o 12. Era o 21.

— O 21?!

— O 21.

— Então por que o senhor falou todas aquelas coisas sobre o 12 e a sua importância em nossas vidas?

— Porque o 21 não tem a menor graça, ao contrário do 12. Porque o 21 não tem nenhuma história, ao contrário do 12. Porque o 21 não significa nada, ao contrário do 12. Porque a única coisa interessante sobre o 21 é que ele é o contrário de 12.

E o sábio fechou os olhos e indicou com um sinal que a consulta estava terminada e ele estava reintegrando-se ao cosmos.

Eu vi o Halley em 2062

Estamos no ano 2062. Você eu não sei, mas eu estou. Anuncia-se a nova passagem do cometa Halley. As agências de viagem oferecem excursões aos postos de observação espacial na Lua, que pertence às organizações Disney, por US$ 500, incluindo a parte lunar. Com a poluição na Terra, os postos de observação na Lua são os únicos lugares em que ainda se podem ver as estrelas — e a própria Lua. A poluição é tanta que o presidente dos Estados Unidos, George Bush, cuja idade avançada inspira cuidados especiais, foi colocado numa redoma de plástico suprida de oxigênio e sem qualquer comunicação com o mundo exterior, o que o impede de governar mas não de posar para as câmeras. O impedimento temporário do presidente é um alívio para muitos. Ninguém esquece suas sucessivas gafes, culminando em 2058 com sua ordem para a invasão da Bolívia, que já estava em curso quando ele se deu conta e corrigiu: "Bolívia, não. Venezuela. Venezuela!" A poluição é tanta que no maior país capitalista do mundo, a China — ou Grande Hong Kong, como passou a ser chamada em 2025 —, as máscaras de oxigênio vendem mais que o Big Mac, e a marca Cardin é a mais popular.

Apesar da aparente prosperidade, a superpopulação é um desafio para a sanidade dos cidadãos. Um em cada dois chineses acha que o outro devia morrer. Em todo o mundo, de Tutuland, ex-África do Sul, a Las Vegas, na costa do Pacífico dos Estados Unidos — ou o que passou a ser a costa do Pacífico depois que a Califórnia e o México deslizaram para dentro do mar no grande terremoto de 2011 —, o excesso de gente é um problema, agravado pelas hordas de robôs desempregados, substituídos nos seus postos nas linhas de montagem por sucessivas gerações de robôs mais sofisticados, que perambulam pela Terra, aceitando qualquer emprego, de lavadores de carros a vigias, assaltando, fazendo arruaça, levantando saias etc.

No Brasil, depois do contrato assinado em 2016 pelo governo com a Rede Globo, encarregando-a da produção e direção do Brasil durante um século, inclusive colocando gente do seu elenco nos papéis de presidente e ministros e substituindo planos do governo por um roteiro cheio de peripécias e situações cômicas e dramáticas, mas que acaba bem, foi vencida em parte a crise desencadeada com a renúncia da presidente Manuela D'Avila em 2022, mas um assunto polêmico volta a ameaçar a estabilidade política: a reforma agrária. Com o retorno do cometa Halley, todos lembram, divertidos, o que se dizia quando o cometa passou pela Terra da última vez, em 1986. Que ele dava azar, que as coisas iam piorar depois da sua passagem. Como éramos supersticiosos!

A metamorfose

Uma barata acordou um dia e viu que tinha se transformado num ser humano. Começou a mexer suas patas e descobriu que só tinha quatro, que eram grandes e pesadas e de articulação difícil. Acionou suas antenas e não tinha mais antenas. Quis emitir um pequeno som de surpresa e, sem querer, deu um grunhido. As outras baratas fugiram aterrorizadas para trás do móvel. Ela quis segui-las, mas não coube atrás do móvel. O seu primeiro pensamento humano foi: que vergonha, estou nua! O seu segundo pensamento humano foi: que horror! Preciso me livrar dessas baratas!

Pensar, para a ex-barata, era uma novidade. Antigamente ela seguia o seu instinto. Agora precisava raciocinar. Fez uma espécie de manto da cortina da sala para cobrir sua nudez. Saiu pela casa, caminhando junto à parede, porque os hábitos morrem devagar. Encontrou um quarto, um armário, roupas de baixo, um vestido. Olhou-se no espelho e achou-se bonita. Para uma ex-barata. Maquilou-se. Todas as baratas são iguais, mas uma mulher precisa realçar a sua personalidade. Adotou um nome:

Vandirene. Mais tarde descobriu que só um nome não bastava. A que classe pertencia? Tinha educação? Referências? Conseguiu, a muito custo, um emprego como faxineira. Sua experiência de barata lhe dava acesso a sujeiras mal suspeitadas, era uma boa faxineira.

    Difícil era ser gente. As baratas comem o que encontram pela frente. Vandirene precisava comprar sua comida e o dinheiro não chegava. As baratas se acasalam num roçar de antenas, mas os seres humanos não. Se conhecem, namoram, brigam, fazem as pazes, resolvem se casar, hesitam. Será que o dinheiro vai dar? Conseguir casa, móveis, eletrodomésticos, roupa de cama, mesa e banho. A primeira noite. Vandirene e seu torneiro mecânico. Difícil. Você não sabe nada, bem? Como dizer que a virgindade é desconhecida entre as baratas? As preliminares, o nervosismo. Foi bom? Eu sei que não foi. Você não me ama. Se eu fosse alguém você me amaria. Vocês falam demais, disse Vandirene. Queria dizer vocês, os humanos, mas o marido não entendeu; pensou que era vocês, os homens. Vandirene apanhou. O marido a ameaçou de morte. Vandirene não entendeu. O conceito de morte não existe entre as baratas. Vandirene não acreditou. Como é que alguém podia viver sabendo que ia morrer?

    Vandirene teve filhos. Lutou muito. Filas do INPS. Creches. Pouco leite. O marido desempregado. Finalmente, acertou na esportiva. Quase 4 milhões. Entre as baratas, ter ou não ter 4 milhões não faria diferença. A barata continuaria a ter o mesmo aspecto e a andar com o mesmo grupo. Mas Vandirene mudou. Aplicou o dinheiro. Trocou de bairro. Comprou casa. Passou a se vestir bem, a comer e dar de comer de tudo, a cuidar onde colocava o pronome. Subiu de classe. (Entre as baratas, não existe o conceito de classe.) Contratou babás e entrou na PUC. Começou a ler tudo o que podia. Sua maior preocupação era a morte. Ela ia morrer. Os filhos iam morrer. O marido ia morrer — não que ele fizesse falta. O mundo inteiro, um dia, ia desaparecer. O Sol.

O universo. Tudo. Se espaço é o que existe entre a matéria, o que é que fica quando não há mais matéria? Como se chama a ausência do vazio? E o que será de mim quando não houver mais nem o nada? A angústia existencial é desconhecida entre as baratas.

    Vandirene acordou um dia e viu que tinha se transformado de novo numa barata. Seu penúltimo pensamento humano foi, meu Deus, a casa foi dedetizada há dois dias! Seu último pensamento humano foi para o seu dinheiro rendendo na financeira e o que o safado do marido, seu herdeiro legal, faria com tudo. Depois desceu pelo pé da cama e correu para trás de um móvel. Não pensava mais em nada. Era puro instinto. Morreu em cinco minutos, mas foram os cinco minutos mais felizes da sua vida. Kafka não significa nada para as baratas.

**Você deve conhecer
outros exemplos**

!

Bandidos

Nos filmes e histórias em quadrinhos da nossa infância recebíamos uma lição da qual só agora me dou conta. Não era a que o Bem sempre vence o Mal, embora o herói sempre vencesse o bandido. Quem dava a lição era o bandido, e era esta: a morte precisa de uma certa solenidade.

    A vitória do herói sobre o bandido era banalizada pela repetição. Para o mocinho, matar era uma coisa corriqueira, uma decorrência da sua virtude. Já o bandido era torturado pela ideia da morte, pela sua própria vilania, pelo terrível poder que cada um tem de acabar com a vida de outro. O bandido era incapaz de simplesmente matar alguém, ou matar alguém simplesmente. Para ele o ato de matar precisava ser lento, trabalhado, ornamentado, erguido acima da sua inaceitável vulgaridade — enfim, tão valorizado que dava ao herói tempo de escapar e ainda salvar a mocinha. Pois a verdade é que nenhum herói teria sobrevivido à sua primeira aventura se não fosse esta compulsão do vilão de fazer da morte uma arte demorada, um processo com preâmbulo e apoteose, e significado. Nunca entendi por que o bandido não dava logo um tiro na testa do herói quando o tinha em seu poder, em vez de deixá-lo suspenso sobre o poço dos jacarés por uma corda besuntada que os ratos roeriam pouco a pouco, enquanto o gramofone tocava Wagner. Hoje sei que o vilão queria dar tempo, ao mocinho e à plateia, de refletir sobre a finitude e a perversidade humanas.

Os vilões do meu tempo de matinês eram invariavelmente "gênios do Mal", paródias de intelectuais e cientistas cujas maquinações eram frustradas pelo prático mocinho. A imaginação perdia para a ação porque a imaginação, como a hesitação, é a ação retardada, a ação precedida do pensamento, do pavor ou, no caso do bandido, da volúpia do significado. O Mal era inteligência demais, era a obsessão com a morte, enquanto o Bem — o que ficava com a mocinha — era o que não pensava na morte. Quando recapturava o mocinho, mesmo sabendo que ele escapara da morte tão cuidadosamente orquestrada com os ratos e os jacarés, o bandido ainda não lhe dava o rápido e definitivo tiro na testa, para ele aprender. Deixava-o amarrado sobre uma tábua que lentamente, solenemente, se aproximava de uma serra circular, da qual o herói, é óbvio, escaparia de novo. E, se pegasse o mocinho pela terceira vez, nem assim o bandido abandonaria sua missão didática. Sucumbiria à sua outra compulsão fatal, a de falar demais. Mesmo o tiro na testa precisava de uma frase antes, uma explicação, um jogo de palavras. Geralmente era o que dava tempo para a chegada da polícia e a prisão do vilão, derrotado pela literatura.

Pobres vilões. E nós, inconscientemente, torcíamos pelos burros.

A primeira cena

Um amigo está bolando um livro policial. Ainda não tem nem título nem história, mas tem uma primeira linha fantástica: "Já não fazem cílios postiços como antigamente..."

A primeira linha é importantíssima. Mais importante até do que a última. Pela primeira cena se conhece o escritor policial. Uma boa primeira cena dispensa até o resto do livro. De pura inveja, andei bolando alguns começos para livros policiais que jamais escreverei. Olha aí, José Onofre, se algum encaixar no teu, bom proveito.

"Sua cabeça estava atirada para trás. Seus lábios entreabertos eram dois gomos rubros de uma fruta selvagem. Meus olhos derraparam na curva do seu pescoço, a caminho do sul. A blusa desabotoada até o umbigo deixava transparecer os seios como dois convites, e um já chegava. Por um instante louco, o fato de ela estar morta quase não foi suficiente para me conter."

Outro começo: "Shelby olhou fixo para o fundo do seu copo de bourbon e pensou: mais três destes e eu fico sóbrio."

"Ela entrou na minha vida como Eva entrando no paraíso. Era a primeira mulher que eu via. Todas as outras tinham sido impostoras. Suas primeiras palavras foram:

— Você está sozinho?

— Toda a minha vida, boneca, até agora.

Estava tão estonteado que levei cinco minutos para notar a arma na sua mão."

Tem mais, tem mais.

"O conde russo me olhou com desprezo, disse que era o último cavalheiro real do mundo, tirou a piteira da boca e vomitou em cima da mesa."

E outro:

"Não era um homem, era o Elo Perdido. Cada uma das suas mãos felpudas era um latifúndio, com vilas, riachos e pastagens. Sua testa chegara na sala dois minutos antes dele. Ele deve ter notado o meu espanto.

— Que cara é essa? — perguntou. E falava!

— Nada. Só estou lamentando não ter me formado em antropologia. Estaria consagrado.

Ele hesitou. Estava pensando, e o esforço era visível.

— Isso é uma piada?

— Eu pareço um suicida? O que é que você quer? Estou ocupado.

Era mentira. Meu último caso fora há três meses, e esquecera de pagar. Ultimamente minha única ocupação na vida era pedir paciência ao meu estômago e aos meus credores. Estava a ponto de empenhar o meu 38 e investir os proventos numa refeição completa.

— Quero contratar você para encontrar a minha noiva.

Tive uma rápida visão da versão feminina daquele cochilo da ciência. Mal sabia eu que..."

Uma grande ideia que eu tenho é para um policial gramatical. Se chamaria "A terceira pessoa" ou "O sujeito oculto".

Começaria assim:

"O inspetor Luft mordeu a haste do seu cachimbo com força, como costumava fazer quando algo o aborrecia. Aquela frase na sua frente não fazia sentido. Faltava alguma coisa... O jeito era interrogar, mais uma vez, todos os seus componentes.

— Mande entrar o pronome — disse o inspetor para o sargento, que fez uma careta de impaciência. O pronome, outra vez? Era um oblíquo, um evasivo..."

Porta de banheiro

Um dos abismos da criatividade humana é a porta de banheiro público. Como indicar que uma porta é do banheiro dos homens e outra do banheiro das mulheres sem cair no óbvio? Está claro que este é um daqueles casos em que deviam deixar o óbvio em paz. Mas não. As pessoas insistem em ser originais. Homem e Mulher, Damas e Cavalheiros, Senhoras e Senhores ou simplesmente "H" e "S" não servem. Banheiro é uma coisa que embaraça tanto a todos que a solução é procurada no outro extremo, na falsa descontração e no engraçadinho. Tenho me dedicado a colecionar exemplos, naquela volúpia pelo inútil que ou acaba em loucura ou em tese sociológica. Vamos lá.

Os camundongos Mickey e Minnie. Inescapáveis. Estes eu já encontrei nos piores antros, em tocante contraste com a sordidez do resto. Mickey e Minnie em alegres e coloridas poses, como se por aquelas portas se voltasse à infância em vez de entrar em asfixiantes câmaras de fedor adulto. Se o estabelecimento estiver caindo aos pedaços, você pode ter certeza de que na porta para homens haverá uma cartola e uma bengala e na das mulheres uma sombrinha cor-de-rosa. Fred Astaire e Ginger Rogers um dia aparecerão.

Ferdinando e Daisy, claro. Eles e Elas, naturalmente. Machões e Fofinha, ai de nós. Uma vez, num restaurante do Leblon, deparei-me com duas indicações sobre o gênero dos banheiros: um limão e uma laranja. Fiquei uns bons dois minutos ponderando o significado oculto daqueles símbolos cítricos até me dar conta de que era apenas "o" limão e "a" laranja. Ou será que a mensagem era outra e eu continuo não entendendo?

Outra vez, num restaurante de Greenwich Village, em Nova York, levei outros angustiantes minutos para descobrir que a cara de Karl Marx numa porta tinha a mesma função do camundongo Mickey, não era propaganda. Não cheguei a ver o que havia na porta do banheiro das mulheres, Rosa Luxemburgo, provavelmente.

Este tipo de sofisticação pode levar a confusões. O que fazer quando numa porta está um retrato do Oscar Wilde e na outra o da Gertrude Stein? Mas imagino que num lugar que chegasse a este tipo de sutileza não faria muita diferença. As duas portas dariam para o mesmo banheiro.

Quando a comunicação precisa ser rápida e internacional — em aeroportos, por exemplo —, usam-se os símbolos consagrados do bonequinho de calças para homem e do bonequinho de saias para mulher, desprezando-se o fato de que poucas mulheres usam saias atualmente. Também não se cogita que o eventual escocês de saiote imagine que exista um banheiro só para ele nos aeroportos.

Joãozinho e Mariazinha. Adão e Eva. Barbados e Belezas. Leões, meu Deus, e Domadoras. Laços de fita azul ou fita cor-de-rosa. Um buldogue e uma gata. Mônica e Horácio. Angelina Jolie e Brad Pitt recortados de uma capa de revista...

Você deve conhecer vários outros exemplos. Por favor, não mande nenhum.

Atitude suspeita

Sempre me intriga a notícia de que alguém foi preso "em atitude suspeita". É uma frase cheia de significados. Existiriam atitudes inocentes e atitudes duvidosas diante da vida e das coisas e qualquer um de nós estaria sujeito a, distraidamente, assumir uma atitude que dá cadeia!

— Delegado, prendemos este cidadão em atitude suspeita.

— Ah, um daqueles, é? Como era a sua atitude suspeita?

— Suspeita.

— Compreendo. Bom trabalho, rapazes. E o que é que ele alega?

— Diz que não estava fazendo nada e protestou contra a prisão.

— Hmm. Suspeitíssimo. Se fosse inocente, não teria medo de vir dar explicações.

— Mas eu não tenho o que explicar! Sou inocente!

— É o que todos dizem, meu caro. A sua situação é preta. Temos ordem de limpar a cidade de pessoas em atitudes suspeitas.

— Mas eu só estava esperando o ônibus!

— Ele fingia que estava esperando um ônibus, delegado. Foi o que despertou a nossa suspeita.

— Ah! Aposto que não havia nem uma parada de ônibus por perto. Como é que ele explicou isso?

— Havia uma parada sim, delegado. O que confirmou a nossa suspeita. Ele obviamente escolheu uma parada de ônibus para fingir que esperava o ônibus sem despertar suspeita.

— E o cara de pau ainda se declara inocente! Quer dizer que passava ônibus, passava ônibus e ele ali fingindo que o próximo é que era o dele? A gente vê cada uma...

— Não senhor, delegado. No primeiro ônibus que apareceu ele ia subir, mas nós agarramos ele primeiro.

— Era o meu ônibus, o ônibus que eu pego todos os dias para ir pra casa! Sou inocente!

— É a segunda vez que o senhor se declara inocente, o que é muito suspeito. Se é mesmo inocente, por que insistir tanto que é?

— E se eu me declarar culpado, o senhor vai me considerar inocente?

— Claro que não. Nenhum inocente se declara culpado, mas todo culpado se declara inocente. Se o senhor é tão inocente assim, por que estava tentando fugir?

— Fugir, como?

— Fugir no ônibus. Quando foi preso.

— Mas eu não tentava fugir. Era o meu ônibus, o que eu tomo sempre!

— Ora, meu amigo. O senhor pensa que alguém aqui é criança? O senhor estava fingindo que esperava um ônibus, em atitude suspeita, quando suspeitou destes dois agentes da lei ao seu lado. Tentou fugir e...

— Foi isso mesmo. Isso mesmo! Tentei fugir deles.

— Ah, uma confissão!

— Porque eles estavam em atitude suspeita, como o delegado acaba de dizer.

— O quê? Pense bem no que o senhor está dizendo. O senhor acusa estes dois agentes da lei de estarem em atitude suspeita?

— Acuso. Estavam fingindo que esperavam um ônibus e na verdade estavam me vigiando. Suspeitei da atitude deles e tentei fugir!

— Delegado...

— Calem-se! A conversa agora é outra. Como é que vocês querem que o público nos respeite se nós também andamos por aí em atitude suspeita? Temos que dar o exemplo. O cidadão pode ir embora. Está solto. Quanto a vocês...

— Delegado, com todo o respeito, achamos que esta atitude, mandando soltar um suspeito que confessou estar em atitude suspeita, é um pouco...

— Um pouco? Um pouco?

— Suspeita.

Palavras

Tenho o mau hábito de atribuir corpo, sexo, passado, opiniões, roupagens e trejeitos ao substantivo mais comum, inanimado ou não. A palavra, qualquer palavra, sempre desperta em mim uma imagem, e a imagem desencadeia um processo de visões em série, não raro com enredo, trilha sonora e efeitos de luz. Se me falam em "tédio", por exemplo, logo sou assaltado pela patética figura do gato de harém. Imagine um animal que só abre os olhos para botar colírio, que só se deixa coçar com hora marcada! Imagine-se — você — abandonado à porta de um serralho, criado e mimado por 118 odaliscas, um Tarzan peludo das almofadas. Paraíso nada, um inferno. O gato de harém vê tudo, faz tudo, ouve tudo em uma semana de vida, depois só boceja. Um dia resolve fugir e não consegue dar dois passos. A barriga arrasta no chão, ele se enreda na própria cabeleira. Cai de costas e fica ron-ronando até ser reavivado com água de jasmim. E faz a ronda de 118 colos solícitos, de 236 seios aflitos, antes de voltar à sua pantufa e ao seu tédio.

Outra palavra que tem histórias é "lascívia". Lascívia, imperatriz, filha de Pundonor... Imagino-a atraindo todos os jovens do reino para a cama real, decapitando os incapazes pelo fracasso e os capazes pela ousadia. Pundonor, quando não faz o papel de pai enganado, passa o tempo sentado na praça da Alfândega de polainas e colarinho duro, o sol brilhando nas caspas que lhe cobrem o terno preto. Pundonor só lê os convites para enterro do *Correio do Povo*. Um dia escreverá uma carta para o governador, protestando contra a nudez do cavalo na estátua do Osório.

Falácia é um animal multiforme que nunca está onde parece estar. Quando você o toca, ele desaparece. Tem gente que faz criação de falácias.

Beneplácito é um tipo de gorro usado pelos filhos de Pundonor nos rituais do império. Lorota é uma manicura gorda. Comichão é um móvel, uma espécie de arca, onde Lascívia guarda a cabeça dos seus amantes. Assunto é uma parte do boi. Hoje muito escassa.

O gigolô das palavras

Quatro ou cinco grupos diferentes de alunos do Farroupilha estiveram lá em casa numa mesma missão, designada por seu professor de português: saber se eu considerava o estudo da gramática indispensável para aprender e usar a nossa ou qualquer outra língua. Cada grupo portava seu gravador, certamente o instrumento vital da pedagogia moderna, e andava arrecadando opiniões. Suspeitei de saída que o tal professor lia minhas colunas no jornal, se descabelava diariamente com as suas afrontas às leis da língua e aproveitava aquela oportunidade para me desmascarar. Já estava até preparando, às pressas, minha defesa ("Culpa da revisão! Culpa da revisão!"). Mas os alunos desfizeram o equívoco antes que ele se criasse. Eles mesmos tinham escolhido os nomes a serem entrevistados. Vocês têm certeza que não pegaram o Verissimo errado? Não. Então vamos em frente.

Respondi que a linguagem, qualquer linguagem, é um meio de comunicação e que deve ser julgada exclusivamente como tal. Respeitadas algumas regras básicas da gramática, para evitar os vexames mais gritantes, as outras são dispensáveis. A sintaxe é uma questão de uso, não de princípios. Escrever bem é escrever claro, não necessariamente certo. Por exemplo: dizer "escrever claro" não é certo mas é claro, certo? O importante é comunicar. (E, quando possível, surpreender, iluminar, divertir, mover... Mas aí entramos na área do talento, que também não tem nada a ver com gramática.) A gramática é o esqueleto da língua. Só predomina nas línguas mortas, e aí é de interesse restrito a necrólogos e professores de latim, gente em geral pouco comunicativa. Aquela sombria gravidade que a gente nota nas fotografias em grupo dos membros da Academia Brasileira de Letras é de reprovação pelo português ainda estar vivo. Eles só estão esperando, fardados, que o português morra para poderem carregar o caixão e escrever sua autópsia definitiva. É o esqueleto que nos traz de pé, certo, mas ele não informa nada, como a gramática é a estrutura da língua mas sozinha não diz nada, não tem futuro. As múmias conversam entre si em gramática pura.

    Claro que eu não disse tudo isso para meus entrevistadores. E adverti que minha implicância com a gramática na certa se devia à minha pouca intimidade com ela. Sempre fui péssimo em português. Mas — isso eu disse — vejam vocês, a intimidade com a gramática é tão indispensável que eu ganho a vida escrevendo, apesar da minha total inocência na matéria. Sou um gigolô das palavras. Vivo às suas custas. E tenho com elas exemplar conduta de um cáften profissional. Abuso delas. Só uso as que eu conheço, as desconhecidas são perigosas e potencialmente traiçoeiras. Exijo submissão. Não raro, peço delas flexões inomináveis para satisfazer um gosto passageiro. Maltrato-as, sem dúvida. E jamais me deixo dominar por elas. Não me meto na sua vida particular. Não me interessa seu passado, suas origens, sua família nem o que outros já fizeram com elas. As palavras, afinal, vivem na boca do povo. São faladíssimas. Algumas são de baixíssimo calão. Não merecem o mínimo respeito.

Um escritor que passasse a respeitar a intimidade gramatical das suas palavras seria tão ineficiente quanto um gigolô que se apaixonasse pelo seu plantel. Acabaria tratando-as com a deferência de um namorado ou com a tediosa formalidade de um marido. A palavra seria a sua patroa! Com que cuidados, com que temores e obséquios ele consentiria em sair com elas em público, alvo da impiedosa atenção de lexicógrafos, etimologistas e colegas. Acabaria impotente, incapaz de uma conjunção. A gramática precisa apanhar todos os dias para saber quem é que manda.

Clarice

Em 1953 meu pai foi dirigir o Departamento de Assuntos Culturais da União Pan-Americana, ligada à Organização dos Estados Americanos.

Fomos morar em Washington, uma aborrecida cidade burocrática, no começo da era Eisenhower. O diplomata Mauri Gurgel Valente e sua mulher Clarice estavam lá com os dois filhos, Pedro e Paulo, e foram dos primeiros brasileiros a dar as boas-vindas aos recém-chegados. Eles seriam os melhores amigos dos meus pais nos quatro anos em que ficamos em Washington. Clarice e minha mãe, que não poderiam ter personalidades mais diferentes, tornaram-se amigas de infância. E sem que houvesse qualquer cerimônia, meus pais foram designados padrinhos extraoficiais do filho mais moço dos Valente, o Paulo.

(Uma vez fui levar a Clarice e os dois meninos em casa de carro e na chegada o Paulinho perguntou: "Não quer entrar pra tomar um cafezinho?" Grande surpresa. Ele mal começara a falar, era provavelmente a primeira frase inteira que dizia.) Várias fotografias da Clarice, inclusive algumas que têm saído na imprensa, foram tiradas pelo meu pai durante o convívio dos dois casais naqueles anos americanos. Também houve uma designação do meu pai como fotógrafo exclusivo extraoficial da Clarice.

Eu tinha 16 anos quando chegamos a Washington e a minha primeira impressão da Clarice foi a de todo mundo: fascinação. Com a sua beleza eslava, os olhos meio asiáticos, o erre carregado que dava um mistério especial à sua fala, e ao mesmo tempo com seu humor, e seu jeito de garotona ainda desacostumada com o tamanho do próprio corpo. O fato de que aquela Clarice era a Clarice Lispector não me dizia muito. Eu sabia que era uma escritora meio complicada, nunca tinha lido nada dela. Só quando voltamos ao Brasil li *O Lustre*, *Perto do Coração Selvagem* e, depois, os contos, extraordinários. "A Legião Estrangeira", "Amor", "Uma Galinha", "Macacos", "Laços de Família", "Festa de Aniversário" e tantos outros, e o melhor conto que conheço em língua portuguesa, "A Menor Mulher do Mundo". Em 1962 saí de Porto Alegre e fui morar com a minha tia, no Rio. A Clarice, que então já estava separada do Mauri, era sua vizinha no Leme e pude conviver, e me fascinar, um pouco mais com ela.

Agora, folheando alguns livros da Clarice antes de escrever isto, dei com uma dedicatória dela em *A Maçã no Escuro* para "meus queridos Erico e Mafalda".

Uma dedicatória brincalhona, datada de julho de 1961, em que ela destaca que o preço do livro nas livrarias é de 980 cruzeiros e que portanto está lhes dando um presente valiosíssimo, e recomenda que ele seja protegido com uma capa colante, do tipo que gruda na mão e "prende" o leitor. No fim há um adendo que eu ainda não tinha visto: "Luis Fernando, considere este livro seu também, por favor. Divida 980 por três e você terá preciosa parte. Sua Clarice." A lembrança da Clarice vale bem mais do que 980 cruzeiros, mesmo com todas as correções monetárias acumuladas em 47 anos.

1ª EDIÇÃO [2010] 16 reimpressões

ESTA OBRA FOI COMPOSTA PELA ABREU'S SYSTEM EM ADOBE GARAMOND
E IMPRESSA EM OFSETE PELA LIS GRÁFICA SOBRE PAPEL PÓLEN BOLD DA
SUZANO S.A. PARA A EDITORA SCHWARCZ EM SETEMBRO DE 2025

A marca FSC® é a garantia de que a madeira utilizada na fabricação do papel deste livro provém de florestas que foram gerenciadas de maneira ambientalmente correta, socialmente justa e economicamente viável, além de outras fontes de origem controlada.